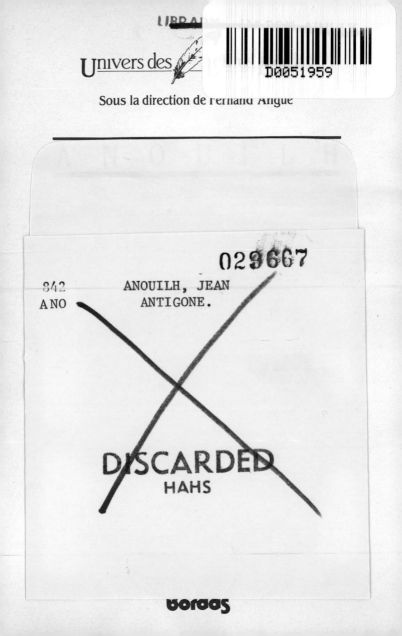

Univers des _____

Sous la direction de Fernand Angué

D0051959

ANOUILH

029667

Bordas

L'édition intégrale d'*Antigone* est publiée par *La Table Ronde*.
Copyright Table Ronde 1947.

© Bordas, Paris 1968 - 1re édition
© Bordas, Paris 1984 pour la présente édition
I.S.B.N. 2-04-016002-7; I.S.S.N. 0249-7220

LA VIE DE JEAN ANOUILH

Les biographes de Jean Anouilh sont bien embarrassés : aucun auteur n'a mis plus de soin à dissimuler sa vie privée, à se dérober aux interviews et aux confidences, à refuser d'établir le moindre rapport entre l'œuvre et la vie. Les critiques en sont réduits à gloser sur sa déclaration péremptoire à Hubert Gignoux : « Je n'ai pas de biographie et j'en suis très content. » Son métier de dramaturge ne donne aucun droit, à qui que ce soit, de fouiller son existence . Anouilh ne veut pas que l'on distingue sa profession des autres : « Il fait des actes comme d'autres font des chaises [1]. »

Tout ce que l'on peut faire, c'est tracer à grands traits l'esquisse de cette vie tout entière consacrée à l'art [2].

Jean Anouilh est né à Bordeaux le 23 juin 1910, d'une mère musicienne (pianiste selon les uns, violoniste selon les autres) et d'un père tailleur. Après des études à l'École primaire supérieure Colbert (aujourd'hui lycée parisien), il entre en Philosophie au Collège Chaptal, où Jean-Louis Barrault est son condisciple (en classe de Mathématiques élémentaires). Les dossiers du Collège (aujourd'hui Lycée) Chaptal nous renseignent sur son adresse d'alors (94, rue de la Chapelle) et sur la qualité de ses résultats en juillet 1928 : prix de philosophie, prix de mathématiques, succès au baccalauréat. « Élève intelligent et travailleur, capable de bien faire » (sic), telle est l'appréciation générale de fin d'année. Il entreprend ensuite des études de droit, interrompues au bout d'un an et demi.

Le goût du théâtre semble dater de la prime enfance bordelaise. A huit ans, au casino d'Arcachon où l'un de ses parents est employé, le petit Jean Anouilh s'enchante au spectacle des opérettes à la mode. Ce n'est pas tant l'intrigue qui le retient (obligé de se coucher de bonne heure, il voit seulement la moitié du spectacle), que « le

---

1. Interview, *Opéra*, 14 février 1951 ; cf. R. de Luppé, *J. Anouilh*, p. 13. — 2. « Le reste est ma vie, écrit-il à Hubert Gignoux, et tant que le ciel voudra que ce soit encore mon affaire personnelle, j'en réserve les détails. » C'est dans cette lettre à Hubert Gignoux qu'on puise les seuls renseignements accessibles sur la vie d'Anouilh (voir H. Gignoux, *Jean Anouilh*, Paris, éditions du Temps Présent

côté troupe, les personnages avec leur emploi bien défini,
le trivial, le gros comique, le jeune premier, le traître,
l'amoureux [1] ». A douze ans, il se croit déjà poète ; il
imite Bataille à seize ans, et dès 1925 il fréquente les
théâtres de Paris. C'est alors qu'il lit Shaw, Claudel, et
surtout Pirandello, que la critique lui reprochera plus
tard d'avoir imité.

De cette adolescence attirée par la scène, une image
émerge, celle de Dullin. Dans une de ses rares confidences,
Anouilh évoque le jeune homme de quinze ans qu'il était
en 1925 ; il traînait « interminablement, les mains dans
ses poches, avec un ami, sur la Butte », et il prolongeait
les spectacles avidement goûtés par de longues conver-
sations « sur les bancs de la place Dancourt ». Dullin, le
monstre sacré, sortait « de son antre de l'antique rue
d'Orsel comme un magicien étrange et épuisé par ses
sortilèges [...]. Courbé, crochu, l'œil cruel ou tendre,
selon, nous le regardions monter avec admiration et
épouvante, dans son insolite voiture à cheval [2] ». Ainsi
Charles Dullin semble-t-il avoir été le premier à incarner
vraiment, pour le jeune Anouilh, la « magie » de l'art :
sorti de scène, il disparaissait mystérieusement, « se per-
dait dans un nuage », comme la fée inquiétante d'un
monde de sortilèges. Alors les jeunes gens rentraient à
pied par les ruelles de Montmartre, emportant dans leur
cœur tous les rêves évoqués au théâtre.

En 1928, Anouilh est secrétaire de Jouvet, avec qui il ne
s'entend pas. Mais c'est le moment d'une rencontre capitale pour le futur dramaturge : Louis Jouvet interprète le
Siegfried de Jean Giraudoux à la Comédie des Champs-
Élysées. Désormais, le théâtre sera pour le jeune homme
passionné la « vie en beauté, la poésie, l'inaccessible
enfin » ; à travers Giraudoux, le Beau se révèle et le
fascine à jamais. « Que d'autres aient eu leur poésie dans
les rues calmes d'une petite ville endormie [...], la mienne
devait me donner rendez-vous, à cause de vous, dans ce
paysage parisien pour étrangers riches, avec ces figurants
les moins faits pour me plaire » (*Hommage à Giraudoux*,
février 1944) [3].

En 1932, Anouilh épouse l'actrice MONELLE VALENTIN,
qui interprétera avec un charme discret et un talent
parfait ses principales héroïnes. La légende (l'histoire
serait trop belle) veut que Jouvet ait prêté, pour meubler

---

1. *Les Nouvelles littéraires*, texte cité par Pol Vandromme, *Jean Anouilh*, p. 183. —
2. « *Monsieur Dullin* », texte cité par P. Vandromme, *op. cit.* p. 183. —
3. Cité par P. Vandromme, *op. cit.*, p. 168.

COLLÈGE MUNICIPAL CHAPTAL

FONDÉ PAR PROSPER GOUBAUX EN 1844

COURS DE SIXIÈME ANNÉE. *2e* SECTION

J'ai l'honneur de vous transmettre les notes et les places obtenues par l'Élève *Anouilh* pendant le *2e* Trimestre 192_ -192_

FACULTÉS	APPLICATION	PROGRÈS	PLACES DES COMPOSITIONS Effectif de la classe :
Composition française.....			
Philosophie............	B.	B.	1er 14
Langue allemande......			
Langue anglaise.........	b.	a.b.	a.b.c
Langue espagnole........			
Histoire................	pas.	pas.	4e 125
Géographie.............	pas.	pas.	a.b.c
Mathématiques.........	b.b.	b.b.	1er 18
Mécanique.............			
Physique..............	b.	a.b.	6e 12 5
Chimie................	a.b.	p.b.	14e 11
Histoire naturelle........	a.b	a.b	7e 11
Dessin géométrique.......			
Dessin d'art.............			
Conduite	B		

OBSERVATIONS

Bon élève. Progrès soutenus.

Paris, le *15 Juillet* 192*8*

LE DIRECTEUR,

Monsieur *Anouilh*
914 rue de la Chapelle
Paris (18)

PH. JEANBOR

Premier en philosophie, premier en mathématiques

l'appartement conjugal, les meubles de scène de *Siegfried*, tant le jeune ménage était démuni.

Mais *l'Hermine*, jouée la même année sur la scène de l'Œuvre, marque le début des premiers grands succès. Les pièces vont désormais se succéder à un rythme régulier jusqu'au ralentissement de ces dernières années, et l'on pourrait presque dire que la biographie d'Anouilh va se confondre avec sa bibliographie. Dès 1935, la vente des droits de *Y avait un prisonnier* [1] à la Metro Goldwyn Mayer assure l'existence matérielle du jeune poète, qui peut se consacrer à son œuvre en toute liberté.

En 1937, un événement important complète au plan scénique la révélation qu'avait été le *Siegfried* de Giraudoux au plan artistique : c'est la rencontre de deux grands metteurs en scène, Georges Pitoëff et André Barsacq, qui vont confirmer à Jean Anouilh ce qu'il avait déjà pressenti tout enfant, la puissance mystérieuse et captivante de l'espace scénique. Ludmilla Pitoëff, par son jeu merveilleusement adapté à la poésie du texte, complète l'apport des Pitoëff à la création des pièces d'Anouilh. Désormais, le dramaturge collabore avec ses metteurs en scène, découvrant sans cesse davantage l'importance du jeu et de la valeur plastique du spectacle.

La guerre va lourdement peser sur l'amertume de l'œuvre de Jean Anouilh. Le 6 février 1945, l'exécution de Robert Brasillach est ressentie par lui comme un échec personnel, tant il avait cru pouvoir compter sur la campagne de signatures entreprise auprès des écrivains alors à Paris. « Le jeune Anouilh que j'étais resté jusqu'en 1945 est parti un matin, mal assuré [...], mais du pied gauche, pour aller recueillir les signatures de ses confrères pour Brasillach. Il a fait du porte à porte pendant huit jours et il est revenu vieux chez lui — comme dans un conte de Grimm [2]. »

Jean Anouilh vit maintenant la plupart du temps dans les Alpes, à l'écart de la vie factice et des luttes sournoises, tout près de la neige. « Perché sur une montagne suisse, on est à la bonne distance [...] pour lire les journaux de Paris. On a l'édition de province, qui a toujours une certaine sérénité, comme si elle travaillait déjà pour la postérité [3]. »

---

1. Le film ne sera d'ailleurs jamais terminé, et Anouilh refuse de donner à la pièce une place dans son œuvre imprimée. — 2. Cité par Pol Vandromme, *op. cit.*, p. 175-176. — 3. *Ibid.*, p. 215.

Barrault			
Berger	B		
Gilles			
Harburger			
Lamassiaude			
Latour			
Leroy			
Levieux			
Marc			
Huet	A. B		
Reviron			
Gouault			
Zahler			

Philosophie

Commereuc			
Pasche	A. B		
Ornstein	A. B		
Bessière			
Anouilh			

Un bachelier de mathématiques et un bachelier de philosophie

Jean
Anouilh
souriant

LE VISAGE DE JEAN ANOUILH

Aux inconnues de la biographie répondent les énigmes d'un visage. Le 3 novembre 1955, dans *l'Express*, un morphopsychologue tenta de déchiffrer un portrait d'Anouilh. Mais, en dehors de considérations générales, il ne nous apprit rien que l'œuvre ne nous eût déjà suggéré. Plus étonnante est l'incertitude de Marcel Aymé dans l'article publié en octobre 1960 par *Biblio* : « Il arrive qu'on me demande si je connais Jean Anouilh, et je réponds par un oui mal assuré, un oui avec trois points au bout... A l'abord, il a une trompeuse apparence qui, on s'en aperçoit vite, ne laisse deviner que l'existence d'un mystère[1]. » Plus précisément, Marcel Aymé voit en Anouilh sinon un « dandy », selon le mot de Jean-Louis Barrault à propos de son condisciple adolescent, du moins un personnage distant, un peu ennuyé et méprisant. « Il y a en lui, sinon un personnage de Proust, certains reflets de ce monde du temps perdu[2]. »

Mais, plutôt que de mépris, il vaut mieux parler de **timidité** et d'**inquiétude**. La timidité, liée à la modestie et non à l'orgueil, apparaît dans le récit charmant qu'Anouilh nous donne lui-même d'un déjeuner en compagnie de Jean Cocteau : « J'étais en cinq secondes redevenu un petit jeune homme, tout au plaisir d'écouter[3]. » Lorsqu'il évoque « les grands hommes », visiblement il s'en exclut, et il explique sa fuite devant Picasso, ou les Surréalistes à qui on voulait le présenter, en disant que leur image lui suffisait. Mais il ajoute aussi : « Peut-être est-ce que je me flatte et n'était-ce que ma timidité et ma honte indélébiles[4]. » S'agit-il de Giraudoux ? Alors le mutisme devant le maître va jusqu'à ne jamais lui avouer une admiration qui remonte à la jeunesse.

Aussi bien, lorsque notre auteur manifeste son mépris le plus hautain à l'égard des intellectuels, peut-on vite y déceler quelque sourde inquiétude : « Mon vieux complexe devant les *intellectuels* qui vont me faire le coup du mépris[5]. »

---

1. M. Aymé, *Jean Anouilh le mystérieux*, dans *Biblio*, 28ᵉ année, n° 8, octobre 1960, p. 3. — 2. *Ibid.*, p. 4. — 3. *Hommage à J. Cocteau*, dans P. Vandromme, *op. cit.*, p. 191. — 4. *Ibid.* — 5. *Février 1945*, cité par P. Vandromme, p. 179.

Cette timidité devant les hommes devient un véritable ahurissement devant la société et tout ce qu'elle véhicule de bassesses et de vilenies. C'est dans les textes où Anouilh raconte ses efforts pour sauver Brasillach que l'on comprend mieux le sens de cette tentative pathétique et vaine pour intéresser à un homme vivant ceux qui ne voient en lui que le jeu de forces historiques, ou — pire — ceux qui ont peur. La vie réelle rejoint les ganaches et les vendus que l'on croyait caricaturés dans le drame : « Leur gloire, leurs grands mots — c'était bien elle, c'était la vie. Quel curieux ahurissement m'en avait-il protégé jusqu'alors [1] ? »

Comment s'étonner que l'autre face de cette timidité inquiète, vite tournée en amertume, soit une **tendresse secrète**, une **fidélité aux amitiés** qui garde intact le souvenir, qu'il s'agisse de Giraudoux ou des Pitoëff, et qui va jusqu'au courage lorsqu'il s'agit de prendre la défense de quelqu'un qui n'est même pas un ami (« Je ne connaissais pas Brasillach [2] ») ?

Chacun sait que les timides et les tendres sont souvent des coléreux et des pessimistes. Et l'on ne verra pas de contradiction à notre portrait dans l'amertume d'un « Hurluberlu » ou dans la violence de certaines « Fables ».

---

1. P. Vandromme, *op. cit.*, p. 180-181. — 2. *Ibid.*, p. 179.

LA CONCEPTION DU DRAME
CHEZ JEAN ANOUILH

Le refus du théâtre à thèse   Ce refus est une idée fondamentale chez Anouilh. Le dramaturge ne doit pas chercher à imposer des idées, car il est au service d'un public aux goûts duquel il doit répondre sans pour autant tomber dans la vulgarité. Le plaisir du lecteur et du spectateur doit être la loi du poète, et l'on retrouve bien ici le grand précepte moliéresque. « L'honneur, pour un auteur dramatique, c'est d'être un fabricant de pièces. Nous devons d'abord répondre à la nécessité où sont des comédiens de jouer chaque soir des pièces pour un public qui vient oublier ses ennuis et la mort. Ensuite, si, de temps à autre, un chef-d'œuvre s'affirme, tant mieux ! [1] » La même idée est reprise en 1961 dans l'avertissement des *Fables* : « Ces fables ne sont que le plaisir d'un été. Je voudrais qu'on les lise aussi vite et aussi facilement que je les ai faites, et, si on y prend un peu de plaisir — ajouté au mien —, il justifiera amplement cette entreprise futile. »

Le goût de la convention   Au refus de la thèse est associé le goût de la convention. Le théâtre est un jeu, dont les règles obéissent à des nécessités internes ; c'est à chaque auteur de bâtir, arbitrairement, les conventions sur lesquelles l'œuvre repose, et seul le succès ou l'échec peut les juger. Nous sommes là encore bien proches de Molière (cf. *la Critique de l'École des femmes*). Ainsi se justifie, très concrètement, l'importance du public et du metteur en scène dans la création dramatique. Une pièce n'est terminée que lorsqu'elle a reçu la caution de la salle. Aussi Jean Anouilh voit-il dans le théâtre contemporain, « après un siècle de naturalisme et de *progrès*, cet apparent recul vers l'ancienne convention, la toujours neuve, l'unique source du jeu sacré [2] », qui peut seule assurer à une pièce une valeur

---

1. Cf. Pol Vandromme, *op. cit.*, p. 15. — 2. *Monsieur Dullin* ; cf. P. Vandromme, *op. cit.*, p. 183.

durable, comme l'a prouvé Molière. Car le grand maître est Molière, qui a parfaitement réussi à attraper l'homme à travers la fausseté d'un édifice de convention, et grâce à lui.

Notons toutefois qu'une telle conception, qui semble exclure l'intervention de la personnalité de l'auteur, n'empêche pas Anouilh de croire que la profondeur et la beauté de l'œuvre sont souvent liées à l'expérience humaine du créateur. La fauvette, « le cœur meurtri », chante mieux sa peine « sous la lune blanche » qu'elle n'avait chanté pour l'art sur les toits de Milan [1]. Et dans les textes écrits pour l'anniversaire de la mort de Molière, Anouilh rappelle les peines de cœur de ce grand connaisseur des misères humaines.

Donc, le drame doit obéir à des règles conventionnelles, et non à des idées dont il ne serait que l'interprète ; mais cela n'exclut pas que l'expérience humaine de l'auteur puisse donner à l'œuvre plus ou moins de profondeur.

Drame et philosophie   Si le théâtre d'Anouilh n'est rien moins qu'un théâtre à thèse, il n'empêche qu'on peut lui trouver *a posteriori* un sens, comme à toute œuvre humaine. Le dramaturge, obéissant en cela à sa vocation, ne veut rien démontrer, mais il nous pose des questions, et toutes ces questions mises bout à bout font ce qu'il faut bien appeler une philosophie. C'est en ce sens qu'un des meilleurs connaisseurs de la littérature contemporaine a pu associer Anouilh à Giraudoux, et même à Camus et à Sartre, en parlant d'un théâtre d'idées [2]. L'expression présente toutefois quelque ambiguïté, et il vaudrait mieux dire, comme l'auteur d'*Antigone* lui-même nous y invite [3], que tous les drames ont en commun la mise en évidence du pathétique : l'homme à la recherche de sa vérité, et incertain du dénouement, est le spectacle le plus riche et le plus douloureux que le théâtre puisse nous proposer.

Les moyens d'expression   Le théâtre d'Anouilh partage
du drame d'Anouilh   avec un bon nombre de drames contemporains certaines caractéristiques dans la mise en scène de ce pathétique lié à la condition humaine.

Le mélange des tons. Comme Gide, Giraudoux ou Sartre, Anouilh utilise l'ironie, le sarcasme, voire la

---

1. J. Anouilh, *Fables*, « La Fauvette célèbre ». — 2. P.-H. Simon, *Théâtre et Destin*, Paris, A. Colin, 1959. — 3. *Antigone*, le Chœur, p. 67, l. 22 et suiv.

plaisanterie vulgaire ou grossière, au milieu des scènes les
plus graves. La tragédie divine de l'Antiquité ou du
Classicisme est ainsi ramenée aux dimensions d'un
drame humain. Ni le sujet, ni les personnages, ni même le
ton ne peuvent nous assurer de la direction que va prendre
une pièce. La tragédie se fait bouffonne, et la farce
s'élève aux dimensions du drame philosophique.

Le réalisme contribue souvent à faire descendre le
drame jusqu'aux régions les plus humbles, voire les plus
sordides de la vie quotidienne. Le langage n'exclut ni la
vulgarité, ni la grossièreté, et la Grèce de nos dramaturges
contemporains sent l'oignon plus souvent qu'on n'y
répand le nectar et l'ambroisie.

Le mythe. Ce réalisme est toutefois sans cesse associé
au dépassement du réel, et le drame d'Anouilh — comme
une grande partie du théâtre contemporain — doit plus au
Symbolisme qu'au Naturalisme. Jean Anouilh croit plus
à la force de l'image qu'à celle de l'idée pour toucher le
cœur de l'homme. « L'intelligence, notre déesse — on s'en
apercevra sur des ruines, — ne peut rien seule. Si Molière
n'avait été qu'intelligent, nous ne serions pas là ce soir,
autour de lui [1]. » L'héritage du Symbolisme se manifeste à
travers cette méfiance — toute théorique — de l'intelligence, et dans la prolifération des drames à sujets mytho-
logiques. Gide et Cocteau font revivre le mythe d'Œdipe
(*Œdipe*, 1931 ; *la Machine infernale*, 1934). Sartre évoque
le personnage d'Oreste dans *les Mouches* (1943), après
Électre de Giraudoux (1937). Nous verrons plus loin
l'importance de ces thèmes chez Anouilh, et la grande
faveur du mythe d'Antigone dans le théâtre moderne.

Tous ces drames s'efforcent de saisir l'homme dans ce
qu'il a de plus profond, à travers les situations mythiques
les plus connues, renouvelant ainsi les tentatives
symbolistes.

Les maîtres   Nous avons noté la prééminence
de Jean Anouilh accordée à Molière par Jean Anouilh.
                     Musset, Marivaux, « mille fois relus »,
Claudel « dans [son] cœur », « Pirandello et Shaw écornés
dans [ses] poches [3] », furent aussi ses maîtres. Mais l'ini-
tiateur fut vraiment Jean Giraudoux. De *Siegfried* en
particulier [4], tant de fois écouté et relu, Anouilh a retenu

1. *Présence de Molière* ; cf. P. Vandromme, *op. cit.*, p. 140. — 2. P. Vandromme,
op. cit., p. 167. — 3. *Ibid.* — 4. Voir plus haut, p. 9.

le secret d'une « langue poétique et artificielle qui demeure plus vraie que la conversation sténographiée [1] ».

Autre magicien du théâtre à l'égard de qui il reconnaît une dette : Jean Cocteau, avec en particulier son œuvre *les Mariés de la tour Eiffel*. « Jean Cocteau venait de me faire un cadeau somptueux et frivole : il venait de me donner la poésie du théâtre [2]. »

De toutes ces influences, de toutes ces convergences, naît une œuvre originale et attachante dont la tonalité bien particulière enchante ceux qui la fréquentent un tant soit peu.

---

1. Interview des *Nouvelles littéraires*, du 27 mars 1937 ; cf. R. de Luppé, *op. cit.*, p. 16-17. — 2. *Hommage à Jean Cocteau*, dans P. Vandromme, *op. cit.*, p. 192-193.

PH. BERNAND

Jean Anouilh attentif

L'ŒUVRE DE JEAN ANOUILH

CLASSEMENT DES ŒUVRES

I. THÉATRE

Il est difficile de classer l'œuvre dramatique d'Anouilh. Tout au plus peut-on reprendre les divisions qu'il a lui-même données [1] :

PIÈCES NOIRES :

> L'Hermine (1932-1932) ; La Sauvage (1938-1934) ; Le Voyageur sans bagage (1937-1936) ; Eurydice (1941-1941).
> Paris, éditions Balzac, 1942.
> Paris, la Table ronde, 1948.

PIÈCES ROSES :

> Le Bal des voleurs (1938-1932) ; Le Rendez-vous de Senlis (1941-1937) ; Léocadia (1939-1939).
> Paris, éditions Balzac, 1942.
> Paris, la Table ronde, 1958 (s'y ajoute Humulus le muet).

NOUVELLES PIÈCES NOIRES :

> Jézabel (composé en 1932) ; Antigone (1944-1942) ; Roméo et Jeannette (1946-1945) ; Médée (1953-1946) ;
> Paris, la Table ronde, 1946 et 1958.

PIÈCES BRILLANTES :

> L'Invitation au château (1947) ; Colombe (1951) ; La Répétition ou l'Amour puni (1950) ; Cécile ou l'École des pères (1954).
> Paris, la Table ronde, 1951.

PIÈCES GRINÇANTES :

> Ardèle ou la Marguerite (1948) ; La Valse des toréadors (1952) ; Ornifle ou le Courant d'air (1955) ; Pauvre Bitos ou le Dîner de têtes (1956).
> Paris, la Table ronde, 1956.

---

1. Entre parenthèses, après le nom de chaque pièce, nous donnons deux dates : la première est la date de la création, la deuxième celle de la composition. Lorsqu'il n'y a qu'une date, c'est celle de la création, sauf pour Jézabel. A partir de 1947, il est impossible d'avoir la moindre précision sur la date de composition des œuvres.

PIÈCES COSTUMÉES :

> L'*Alouette* (1953); *Becket ou l'honneur de Dieu* (19⁵9); *La Foire d'empoigne* (1962).
> Paris, la Table ronde, 1960.

NOUVELLES PIÈCES GRINÇANTES :

> L'*Hurluberlu ou le Réactionnaire amoureux* (1956); *La Grotte* (1960); L'*Orchestre* (1957); *Le Boulanger, la boulangère et le petit mitron* (1966); *Les Poissons rouges ou Mon Père ce héros* (1968).
> Paris, La Table ronde, 1970.

PIÈCES BAROQUES :

> *Cher Antoine* (1969); *Ne Réveillez pas Madame* (1970); *Le Directeur de l'Opéra* (1972).
> Paris, La Table ronde, 1974.

PIÈCES SECRÈTES :

> *Tu étais si gentil quand tu étais petit* (1972); l'*Arrestation* (1975); *le Scénario* (1976). Paris, La Table ronde, 1977.

Il faut y ajouter :

> *La Petite Molière*, pièce créée à Bordeaux en 1959. L'*Avant-scène*, n° 210.
> *Monsieur Barnett*, pièce créée au Café-théâtre Le Fanal le 29 octobre 1974, Paris, La Table ronde, 1975.
> *Chers Zoiseaux*, comédie en quatre actes créée à la Comédie des Champs-Élysées le 4 décembre 1976, Paris, La Table ronde, 1977.

II. CRITIQUE

Jean Anouilh, Béatrice Dussane, etc., *Visages du théâtre*. Illustrations de Laure Albin-Guillot. Paris, éditions Calliope, 1947.

Jean Anouilh, Pierre Imbourg, André Warnod, *Michel-Marie Poulain*. Préface de Michel Mourre. Paris, imprimerie Braun, 1953.

Pol Vandromme, *Un auteur et ses personnages*. Essai suivi d'un recueil de textes critiques de Jean Anouilh. Paris, la Table ronde, 1965.

III. ADAPTATIONS

Cavalcade d'amour, dialogues de Jean Anouilh, Coll. films inédits n° 104. Paris, Société française d'éditions et de publications illustrées, 1941.

Shakespeare, *Trois comédies : « Comme il vous plaira »;*

« *Un conte d'hiver* » ; « *La Nuit des rois* ». Adaptation de Jean Anouilh et Claude Vincent. Paris, la Table ronde, 1952.

Oscar Wilde, *Il est important d'être aimé*, comédie. Adaptation de Jean Anouilh et Claude Vincent. Paris, l'Avant-scène, nº 101, 1954.

Roger Vitrac, *Victor ou les enfants au pouvoir*. L'Avant-scène, nº 276, 1962.

Henrich von Kleist, *l'Ordalie ou la Petite Catherine de Heilbronn*, pièce en trois actes. L'Avant-scène, nº 372, 1967.

IV. DIVERS

Oreste, fragments. 3ᵉ cahier, la Table ronde, 1945 (reproduits en partie à la fin de l'ouvrage de Robert de Luppé, *Jean Anouilh*, Paris, éditions universitaires, 1959).

Épisode de la vie d'un auteur, impromptu en un acte. Cahiers de la Compagnie Madeleine Renaud-J.-L. Barrault, Julliard, mai 1959.

Histoire de M. Mauvette et de la fin du monde, nouvelle. « La Nouvelle Saison » nº 6, 1939, Repris dans les Cahiers Renaud-Barrault, Julliard, mai 1959.

Fables, Paris, la Table ronde, 1962.

PH. BERNAND

**Jean Anouilh (le taciturne aux mains parlantes)
et André Barsacq**

LES THÈMES

Si l'on se reporte à la liste des œuvres et si l'on se penche en particulier sur le classement de l'œuvre dramatique, on s'aperçoit vite que les titres proposés (pièces noires, roses, etc.) sont plus des artifices de présentation que des catégories vraiment significatives. Aussi, plutôt que de laisser croire à diverses périodes (rose, noire, grinçante) dans la carrière du dramaturge, vaut-il mieux essayer de regrouper les œuvres autour de thèmes fondamentaux, quitte à se demander si l'on aperçoit quelque évolution dans le traitement de ces thèmes. Cette brève étude nous permettra de situer la place de choix occupée par *Antigone* dans l'œuvre d'Anouilh.

Le déterminisme　　Les personnages sont lourdement écrasés par un double déterminisme : physique et social.

Le poids de l'hérédité. Ils ont beau se débattre, ils ne peuvent échapper à leurs parents, dont le visage est comme un miroir magique capable de leur découvrir les ravages que le temps exercera sur eux-mêmes. Dès 1932, dans *Jézabel*, Marc voudrait échapper à son misérable père et à sa mère qui, d'amant en amant, tombe de plus en plus bas dans la déchéance morale. Mais il sait que la pureté à laquelle il aspire n'est pas pour sa race, et sa mère le lui rappelle : « Je n'ai pas honte de te le dire, que je n'ai vécu que pour l'amour, parce que tu es pareil à moi [1]. » La sensualité bestiale des parents se retrouve dans les enfants, et aucune force morale ne peut résister à ce destin tragique. Plus généralement, toutes les veuleries et toutes les formes de déchéance pèsent de tout leur poids sur les enfants, d'autant plus que ceux-ci sont conscients de l'effort qu'ils doivent fournir pour y échapper. Thérèse, « la Sauvage », tente bien de rompre avec M. et Mme Tarde, mais, par fidélité, par masochisme, et surtout par incapacité foncière à échapper à ce qu'elle ressent comme profondément inscrit en elle, elle reste attachée à son passé : « Je suis de cette race », crie-t-elle à

---

1. *Nouvelles Pièces noires*, Paris, la Table ronde, 1946, p. 51.

Florent[1]. Même drame pour Orphée et Eurydice[2] ; ou
pour Julia dans *Roméo et Jeannette :* « Et si tu allais
croire que je leur ressemble ? » demande-t-elle à celui
qu'elle aime, après lui avoir avoué que sa mère est partie
un jour avec un artiste ambulant[3].

Pour échapper à ce *fatum*, il faut essayer d'oublier qui
on est. C'est le sens de la tentative toute théorique (la
vraisemblance n'a d'ailleurs pas cours dans le théâtre
d'Anouilh), qui mène « le Voyageur sans bagage » à rompre
avec son passé (1936) : Gaston, amnésique ramassé en
1914 sur un champ de bataille, vit depuis vingt ans dans
un hôpital. Retrouvant sa famille, il découvre la cruauté
de l'adolescent qu'il fut, la dureté et l'entêtement de sa
mère, la lâcheté de tous les siens. Il choisit l'oubli volontaire et refuse de reprendre à son compte sa jeunesse et sa
famille.

Mais il n'est pas donné à tout le monde d'oublier et de
se faire oublier, et les parents sont souvent une tare sans
remède pour les héros d'Anouilh.

Le déterminisme social. Plus grave peut-être encore,
et en tout cas plus constant tout au long de l'œuvre, de
l'Hermine (1932) à *la Grotte* (1961), est la distinction
radicale entre deux mondes incommunicables, celui des
pauvres et celui des riches. Le pauvre peut être orgueilleux, fier, comme la Sauvage, il est toujours malheureux,
et presque toujours avili par sa misère. Car la pauvreté
s'accompagne de toutes les tâches sordides et prédispose
à tous les vices. C'est bien elle qui conduit Frantz au
crime dans *l'Hermine* : « J'ai besoin d'un peu d'argent
pour faire le bonheur que j'ai devant moi et je sais maintenant qu'il n'existe pas pour moi de moyens d'en avoir[4]. »
Pauvres humiliés, comme Thérèse dans *la Sauvage*,
pauvres cruels, pauvres vaincus : cette vision sans pitié
du monde de la misère aboutit à l'une des pièces les plus
sinistres d'Anouilh, *la Grotte*. La grotte, ce sont les cui-
sines en sous-sol où vit une sous-humanité, celle des
humiliés. Les pauvres peuvent bien monter dans les
étages des riches, les riches peuvent bien condescendre à
visiter les pauvres, voire à les aimer, les deux races
demeurent immuables, et la misère développe en secret
tous les vices qu'elle engendre naturellement.

Non que les riches soient bien traités par notre dramaturge ; ils sont radicalement étrangers au monde de la

1. *Pièces noires*, Paris, la Table ronde, 1946, p. 182. — 2. *Eurydice*, 1941. — 3. *Nouvelles Pièces noires*, op. cit., p. 223. — 4. *Pièces noires*, op. cit., p. 44.

pauvreté, mais ils ne valent guère mieux, quand ils ne sont pas pires. Là encore, la vigueur de la satire se maintient tout au long de l'œuvre, depuis la duchesse de Granat dans *l'Hermine* jusqu'au baron et à la baronne Jules dans *la Grotte*. C'est tout juste si l'on peut faire une place à part à quelques personnages cyniques et désabusés qui ont le mérite de la conscience, et qui assument leur déchéance avec élégance : c'est le cas — pour ne pas parler des « pièces roses », où l'auteur joue avec lui-même et avec son spectateur, mais où les types se retrouvent à peu près identiques — de Jason dans *Médée* (1946), du général dans *Ardèle ou la Marguerite* (1948), d'Ornifle dans la pièce du même nom (1955), ou même du comte dans *la Grotte*.

En tout cas, tous les personnages sont rigoureusement enfermés dans leur destin, qu'ils obéissent à leur nature profonde ou aux impératifs sociaux. De là naît cette impression d'angoisse qui étreint si souvent le spectateur devant cette forme moderne, désacralisée et sans appel, de l'*Ananké* antique.

Le culte de la perfection — Au milieu de ce monde, constamment déchu tout au long de l'œuvre d'Anouilh, une petite minorité d'élus préserve les chances de l'idéal.

Le refus des compromissions, qui caractérise ce type de personnages, **est indépendant de leur condition sociale.** Frantz *(l'Hermine)*, Marc *(Jézabel)*, Thérèse *(la Sauvage)* sont des pauvres, mais Ardèle, le général Saint-Pé *(la Valse des toréadors)* ou même Antigone n'appartiennent pas à la caste maudite des pauvres, non plus que le général de *l'Hurluberlu*. Ces personnages, adolescents plus ou moins attardés, refusent de voir que le monde pur des rêves de leur enfance ne correspond pas à l'existence réelle. Ils s'en prennent parfois à l'organisation sociale, comme l'Hurluberlu : c'est particulièrement le cas des dernières pièces, où l'expérience politique d'Anouilh — au sens le plus large du terme — se traduit en amertume. Vouloir redonner aux hommes le sens de la rigueur, c'est croire au bon sauvage, et le général apprend à ses dépens que c'est une entreprise vaine et dangereuse.

Mais le plus souvent, ces personnages idéalistes s'en prennent à **la médiocrité de ce que les hommes appellent le bonheur ;** la fuite devant le bonheur n'est ainsi, paradoxalement, que le signe d'une soif plus vive de joies plus parfaites. « Vous me dégoûtez tous avec votre bonheur ! On dirait qu'il n'y a que le bonheur sur la terre. Hé bien, oui, je veux me sauver devant lui, s'écrie la Sauvage. Hé bien, oui, moi, je ne veux pas me laisser prendre par lui toute vivante [1]. » Et M. Henri, le personnage mystérieux d'*Eurydice*, qui peut être considéré comme le porte-parole d'Anouilh, explique, en un texte capital pour comprendre ce thème : « Il y a deux races d'êtres. Une race nombreuse, féconde, heureuse, une grosse pâte à pétrir, qui mange son saucisson, fait ses enfants, pousse ses outils, compte ses sous [...], des gens pour vivre, des gens pour tous les jours, des gens qu'on n'imagine pas morts. Et puis il y a les autres, les héros [...], le gratin [2]. »

Le drame commence lorsque les héros, qui sont voués par définition à la solitude, croient pouvoir demander à **l'amour** la réalisation de leur idéal. Pour ne pas être trompés (comme Julien dans *Colombe*), pour ne pas être soumis à l'usure du temps, ils n'ont guère de ressource que la mort, seule capable de figer dans l'éternel l'instant sans lendemain. « Il faut se confier franchement à la mort comme à une amie. Une amie à la main délicate et forte [3]. » Si « la mort seule donne à l'amour son vrai climat [4] », c'est que l'amour dont il s'agit est un idéal irréalisable ailleurs que dans un rêve.

Mais cette conception très romantique de l'amour et de la mort, loin de prendre de l'importance, va être de plus en plus balancée dans l'œuvre d'Anouilh par un réalisme de moins en moins caricatural.

De l'héroïsme à la sagesse   C'est avec les personnages d'Antigone et de Créon que l'on voit pour la première fois s'affronter avec autant de force les deux conceptions antinomiques. Les valeurs idéales doivent-elles l'emporter sur les nécessités de l'existence ? On peut dire que le drame laisse au spectateur le choix de sa décision : nous aurons l'occasion d'y revenir plus loin. Tout ce que l'on peut dire, c'est qu'à partir de 1944 l'héroïsme cesse d'occuper la première place dans l'œuvre du dramaturge. Sans doute l'idéal n'est-il pas absent des rêves de certains personnages — l'Hurluberlu est là pour nous le montrer — mais tout se passe comme s'ils n'y croyaient plus beaucoup eux-mêmes. Et l'enfance n'est plus le monde merveilleux dont il ne faudrait pas sortir : le général a désormais hâte de voir grandir Toto.

1. *Pièces noires*, op. cit., p. 207. — 2. *Ibid.*, p. 470. — 3. *Orphée*, dans *Pièces noires*, op. cit., p. 441. — 4. *L'Hurluberlu*, la Table ronde, p. 206.

Anouilh va même peu à peu dénoncer l'intransigeance comme une vertu dangereuse. On savait déjà que les héros allaient à la mort, mais ils courent le risque d'y mener aussi les autres. Déjà, dans *Roméo et Jeannette* (1945), Lucien mettait le véritable courage du côté de la vie médiocre et non du côté de l'héroïsme : « Mourir, ce n'est rien, commence donc par vivre. C'est moins drôle et c'est plus long[1] ». Dans *Médée*, violente et cruelle, la magicienne, messagère de deuils et de tristesse, finit par avoir le vilain rôle devant le courageux Jason : « Oui, je vivrai et, malgré la trace sanglante de ton passage à côté de moi, je referai demain avec patience mon pauvre échafaudage d'homme sous l'œil indifférent des dieux[2]. »

Si Julien dans *Colombe* ou le général dans *l'Hurluberlu* ne sont guère les artisans que de leur propre malheur, nous voyons paraître dans *Pauvre Bitos* une violente satire de l'héroïsme lorsqu'il exerce ses ravages au plan social. Bitos-Robespierre est la caricature du héros ; le dégoût de la vie devient chez lui haine des hommes, et l'intransigeance se transforme en goût du sang. En face de cette rage de pureté, qui mène aux révolutions et au crime, Anouilh propose une sagesse modérée qui, sans renoncer à nourrir en secret des rêves d'adolescent, sait qu'on n'a rien de mieux à faire qu'à essayer de vivre comme on peut. Le dernier mot du théâtre d'Anouilh semble bien être ainsi un art de vivre désabusé et courageux : même si le bonheur n'existe pas, il y a quand même des joies ; même si l'amour n'est qu'un rêve, il y a quand même l'affection. Le nouveau héros du dramaturge, ce n'est pas Napoléon, c'est Louis XVIII[3].

Cette évolution du théâtre de Jean Anouilh donne à la pièce d'*Antigone* la place d'un véritable pivot : on comprend mieux ainsi l'importance capitale du personnage de Créon, qui est proprement une création de notre auteur, comme nous pourrons en juger en confrontant le drame moderne avec la tragédie de Sophocle. Désormais la sagesse est possible et l'héroïsme incertain.

---

1. *Nouvelles Pièces noires*, op. cit., p. 311. — 2. *Ibid.*, p. 398. — 3. *La Foire d'empoigne*, dans *Pièces costumées*, Paris, 1960.

BIBLIOGRAPHIE

Nous ne reviendrons pas sur les œuvres de Jean Anouilh, dont nous avons dressé une liste plus haut (p. 15-17). On trouvera des renseignements plus complets sur les différentes éditions des pièces dans les ouvrages de Robert de Luppé, de Clément Borgal et de Bernard Beugnot mentionnés ci-dessous, ainsi que dans le n° 8 (28e année) d'octobre 1960 de *Biblio* (p. 15)[1].

Quant aux ouvrages et articles consacrés à Jean Anouilh, il en existe une liste bien faite dans les livres de Robert de Luppé, de Clément Borgal et de Bernard Beugnot. Nous nous bornerons ici à citer les études les plus importantes, en suivant un ordre chronologique :

Robert de Luppé, *Jean Anouilh*, Classiques du XXe siècle, Paris, Éditions Universitaires, 1959.
Ce petit ouvrage, clair et bien fait, étudie un certain nombre de thèmes : la pauvreté, la mémoire, la fantaisie, le couple, l'enfance. Il est suivi d'extraits de la pièce inachevée d'*Oreste*.

Pol Vandromme, *Jean Anouilh, un auteur et ses personnages*, Paris, la Table ronde, 1965.
Un essai brillant et passionné, mais analysant aussi avec une grande finesse le théâtre d'Anouilh, dont il souligne l'évolution. L'essai est suivi d'un recueil précieux de textes critiques de Jean Anouilh, dont aucun n'est à proprement parler inédit, mais qui sont tous dispersés dans des journaux et des revues pour la plupart introuvables.

Clément Borgal, *Anouilh, la peine de vivre*, Paris, Éditions du Centurion, 1966.
Brillante et fine synthèse de la pensée et de l'œuvre d'Anouilh, faisant le point des diverses interprétations données jusqu'à présent.

Jacques Vidos, *Le Théâtre de Jean Anouilh et le mythe antique*, thèse pour le doctorat d'Université présentée à la Faculté des Lettres de Lyon, 1967.

-----

1. Notons toutefois deux éditions commentées : *Eurydice*, extraits présentés par Rambert George, Classiques contemporains Bordas, 1969 et *La Répétition ou l'Amour puni*, extraits présentés par Philippe Sellier, Classiques contemporains Bordas, 1970.

Paul Ginestier, *Jean Anouilh*, Paris, P. Seghers 1969 (Collection " Théâtre de tous les temps "). L'auteur établit une distinction entre les pièces d'avant guerre (p. 7), les pièces de guerre (p. 50) et les pièces d'après guerre (p. 83).

Jacques Vier, *le Théâtre de Jean Anouilh*, Paris, CDU-SEDES, 1976. Hommage aux qualités dramatiques et poétiques du théâtre d'Anouilh.

Les Critiques de notre temps et Jean Anouilh, présentation par Bernard Beugnot, Paris, Garnier, 1977. On se reportera en particulier aux pages 30 à 42 : « *Antigone* devant la critique ».

Thérèse Malachy, *Jean Anouilh, les Problèmes de l'existence dans un théâtre de marionnettes*, Paris, Nizet, 1978. Une intelligente tentative de typologie du théâtre d'Anouilh.

NOTE SUR LE MYTHE D'ŒDIPE

Pour comprendre la signification religieuse donnée par Sophocle au drame d'*Antigone*, il faut connaître quelques détails du mythe d'Œdipe.

Exposé sur le Cithéron parce qu'un oracle avait prédit qu'il tuerait son père Laïos, roi de Thèbes, et qu'il épouserait sa mère Jocaste, Œdipe est recueilli et élevé par le roi de Corinthe. Fuyant ceux qu'il prend pour ses parents, il court au-devant de son drame, en croyant fuir la malédiction que l'oracle de Delphes lui a révélée. Il se querelle avec un voyageur qu'il tue : c'était Laïos ; il débarrasse Thèbes du Sphinx et épouse Jocaste. Lorsqu'il apprend la vérité, il se crève les yeux et quitte Thèbes à jamais, guidé par sa fille Antigone. Fille d'Œdipe et de Jocaste, Antigone est donc le fruit d'amours incestueuses : elle est le signe de la malédiction qui a pesé sur Œdipe, et elle révèle en sa personne la puissance de la Fatalité. Il sera donc tentant d'essayer de réintroduire la liberté humaine à travers ce personnage pathétique.

Après le départ d'Œdipe, les deux fils du roi aveugle, Étéocle et Polynice, décidèrent de se partager le trône et de régner, chacun à son tour, pendant une année. A la suite du refus d'Étéocle de rendre le pouvoir annuel, Polynice vint assiéger Thèbes avec six autres chefs, et les deux frères s'entretuèrent. C'est alors que Créon, frère de Jocaste, et tuteur d'Étéocle et de Polynice, s'empara du pouvoir. L'action de la tragédie d'*Antigone* se situe au moment où le nouveau roi vient de faire de magnifiques funérailles à Étéocle.

Les tragiques grecs n'ont pas manqué d'exploiter le mythe d'Œdipe. Eschyle lui avait consacré une trilogie (dont il ne nous reste que *les Sept contre Thèbes*, racontant la rivalité entre Étéocle et Polynice) ; Sophocle en a tiré le sujet de ses trois chefs-d'œuvre : *Œdipe roi* (racontant la découverte progressive de la vérité par Œdipe) ; *Œdipe à Colone* (évoquant le vieux roi aveugle au moment de sa mort) ; et *Antigone*. Euripide, dans *les Phéniciennes*, a brodé sur le thème de la lutte fratricide entre Étéocle et Polynice.

A Rome, Sénèque, et en France, Robert Garnier, Rotrou, Corneille, Voltaire seront tour à tour tentés par un des mythes les plus pathétiques de l'Antiquité.

L' « *ANTIGONE* » D'ANOUILH

**Représentation
et publication
d' « Antigone »**

Antigone fut présentée au public parisien pour la première fois le 4 février 1944 au Théâtre de l'Atelier, dans une mise en scène d'André Barsacq, avec Jean Davy dans le rôle de Créon, Monelle Valentin dans celui d'Antigone, et Suzanne Flon dans celui d'Ismène. Depuis 1943, la pièce était en répétition dans l'atmosphère de drame et de pénurie de la fin de la guerre. Suzanne Flon venait au théâtre avec un cabas de ménagère qui lui servait à mettre ses trouvailles chez les antiquaires, mais aussi les provisions problématiques, par exemple « un arrivage inattendu de légumes sans tickets [1] ». Mais, si les soucis de l'époque pesaient sur les répétitions, ce fut bien autre chose au moment des représentations. Certes, on s'étonna de la mise en scène : les personnages en costume de ville, les gardes en blouson témoignaient d'une recherche de l'anachronisme, que les écarts de langage poussaient parfois jusqu'à la provocation. Pourtant ce fut surtout le texte qui suscita des réactions. A tort ou à raison, on vit tout de suite dans la pièce une œuvre d'actualité. Créon figura le gouvernement de Vichy et fut considéré comme un théoricien de la collaboration, alors qu'Antigone apparut comme le symbole de la Résistance. Tel fut bien d'ailleurs le sens que la critique officielle prêta à la pièce : Roland Purnal réagit dans *Comœdia*, le 19 février 1944 [2], avec une violence de ton que la simple critique littéraire pouvait difficilement justifier. Sans doute s'en prend-il à tout ce que la pièce peut avoir d'artificiel, à « l'esprit sommaire de l'œuvre », aux gardes qui « porteront la veste de cuir comme le fils de votre boucher », aux imitations de Cocteau, Giraudoux ou Pirandello. Mais on voit où le bât le blesse quand il vise le « couplet » où l'on exalte les instincts de révolte de la populace et « celui qui met en lumière la charge de chef d'État. Bien entendu, l'on aura soin de faire valoir que la pratique de ladite charge conduit nécessairement aux besognes les plus basses, etc. ».

Mais lorsque la « tragédie » fut éditée, après la Libération, avec onze lithographies de Jane Pécheur, à Paris, aux éditions de la Table ronde, en 1946, certains résistants

---

1. Jean Anouilh, *Suzanne Flon*, dans Pol Vandromme, *op. cit.*, p. 197. — 2. *Comœdia*, 19 février 1944, p. 3.

jugèrent alors trop belle la part faite à Créon. Ils y virent
même, avec Jean-Marie Domenach, « la dernière insulte
qu'on pût faire à tant de morts ». Si le propre des chefs-
d'œuvre est de susciter les interprétations les plus diverses,
voire opposées, on peut dire ainsi qu'*Antigone* ne manqua
pas à la tradition. Et, lorsqu'en juin 1965 la pièce fut
représentée à Moscou, on ne sut pas davantage qui était
le plus applaudi, de Créon, apologiste de la raison d'État,
ou d'Antigone, appelant à la liberté, voire à l'anarchie.

Les pièces « antiques »   Jean Anouilh a mis en scène
  d'Anouilh   d'autres personnages mythiques
                      de l'Antiquité.

Eurydice, en 1941, n'est en fait qu'une fantaisie sur le
thème d'Orphée : le mythe antique n'est rappelé que par
le nom des personnages principaux et par une partie de la
trame dramatique. Orphée est un violoniste des rues qui
conquiert Eurydice, petite comédienne de province.
Eurydice trouve la mort en fuyant son amant parce
qu'elle ne veut pas lui découvrir le visage sordide d'un
passé douloureux. Orphée rejoint Eurydice dans la mort,
refusant les compromissions de la vie pour donner à leur
amour la pureté éternelle.

Médée, créée en 1953, mais écrite en 1946, est beaucoup
plus fidèle à la légende grecque : Jason, fiancé à Créuse,
fille de Créon, tente de fuir Médée et un passé lourd de
crimes. Mais, avant de mourir, la magicienne se venge sur
Créon et Créuse, tandis que Jason affirme la primauté de
la vie sur les forces de mort.

Tu étais si gentil quand tu étais petit, créée en 1972, est une
interprétation de *l'Orestie* d'Eschyle, qui conserve presque
littéralement le texte des chœurs du poète grec, mais donne
du reste une version très originale.

En fait, c'est dans *Antigone*, malgré toutes les libertés
prises par le dramaturge, que Jean Anouilh s'est le plus
astreint à suivre un texte antique. Il est d'autant plus intéressant de noter la tentative faite en 1945 pour construire
une pièce autour du thème d'Oreste[1]. On retrouve en Électre
bien des traits d'Antigone, sa dureté, son intransigeance ; et
le personnage d'Egisthe, avec sa douceur et son humanité
tranquille, rappelle trop Créon pour qu'il fût vraiment possible à l'auteur de construire sa pièce sans risquer des redites.

Ainsi, avant même d'avoir approfondi le cas d'*Antigone*,
on peut noter que les pièces d'Anouilh, dont le thème ou les

---

1. Troisième cahier de *la Table ronde*, et fragments publiés par R. de Luppé, *op. cit.*
p. 103-116.

personnages viennent de l'Antiquité, doivent bien plus à leur auteur qu'au mythe qui est le prétexte du drame. Il sera important de confronter *Antigone* à la tradition dans laquelle elle s'insère, et à ses sources, pour bien faire la part de l'originalité du dramaturge.

Le mythe d'Antigone dans la littérature moderne et contemporaine [1]

Le XIXe siècle. Sans qu'il soit besoin de remonter jusqu'à Rotrou, on peut noter la tentative de BALLANCHE, en 1814, pour donner à l'histoire d'Antigone (dans une épopée en prose, d'ailleurs, et non dans une tragédie) une signification mythique chrétienne. Antigone porte sur elle le poids des fautes et des malheurs de sa race, et elle expie doucement, charitable et soumise. Ballanche a négligé la scène où, à travers Créon et Antigone, s'affrontent les lois divines et les lois écrites, pour mettre l'accent sur la réconciliation de tous dans la soumission à une Providence qui n'a plus rien des brutales divinités antiques.

Cette interprétation chrétienne de l'œuvre aura son importance au cours du XIXe siècle, cependant que, par ailleurs, les traductions et les adaptations de Sophocle vont se développer. A la faveur de la renaissance des études grecques, les éditions de Sophocle se multiplient, et HENRI PATIN, dans ses *Études sur les tragiques grecs* publiées à partir de 1841, jette les bases d'une lecture objective du théâtre antique : « Nous nous sommes trouvés un certain jour en présence des tragiques grecs, dégagés de tout préjugé d'école, de toute prévention nationale, disposés à accepter docilement leur poétique et leurs sujets, à ne demander à leurs œuvres que les émotions universelles de la terreur, de la pitié, de l'admiration, que le plaisir de contempler, sous le costume grec, les traits de la nature humaine [2]. » Dans cette perspective, Patin redonne au dialogue sur les lois l'importance capitale qu'il ne perdra plus.

De tous les efforts pour mieux comprendre la pièce, resurgit l'idée de lui donner une place à la scène. En 1841, en Allemagne d'abord, avec une musique de Mendelssohn, puis en France, à l'Odéon, *Antigone* est représentée avec un grand succès. Mais la véhémence toute romantique

1. Il faut consulter sur cette question l'article remarquable de Mme S. Fraisse, « le Thème d'Antigone dans la pensée française au XIXe et au XXe siècle ». *Bulletin de l'Association Guillaume Budé*, 4e série, n° 2, juin 1966, p. 250-288. — 2. Édition de 1858, livre V, p. 400. Cité par S. Fraisse, *op. cit.*, p. 259.

des acteurs, et la brutalité du langage choquèrent la critique, habituée à voir dans la Grèce le modèle de l'har-
monie et de la perfection classiques. Nerval, pourtant,
dans deux articles publiés par *l'Artiste* des 12 et
26 mai 1844, admire la violence d'Antigone et met l'accent
sur l'importance de la passion dans sa résistance à Créon,
« l'éternelle lutte du devoir moral contre la loi humaine,
de la conscience ou de la passion contre l'obéissance due
aux princes et aux parents [1] ». Mettant ainsi en valeur
l'individualisme d'Antigone, Nerval est « le seul qui en
1844 ait entendu cette voix sur la scène de l'Odéon, un
siècle précisément avant l'*Antigone* d'Anouilh, la voix
d'une jeunesse insoumise, qui secoue la loi des adultes [2] ».

La fin du XIXᵉ siècle, après Saint-Marc Girardin, met
l'accent sur le mysticisme d'Antigone et voit surtout
dans la jeune fille la préfiguration des martyrs chrétiens,
préférant à l'obéissance humaine l'obéissance à Dieu.

Ainsi, comme on l'a mis récemment en valeur [3], Antigone sert de caution à deux tendances distinctes : le
mysticisme chrétien, devenu un traditionalisme hanté
par la crainte du pouvoir civil, et l'individualisme romantique, issu de la confiance rousseauiste et kantienne dans
les droits de la conscience.

Le XXᵉ siècle. Si Péguy admire dans Antigone le
sacrifice suprême pour la justice et la vérité, si Barrès
porte au personnage de Sophocle la même admiration,
l'auteur du *Voyage à Sparte* ne peut se défendre de quelque
inquiétude. Car les revendications d'Antigone se chargent
pour la première fois, au XXᵉ siècle, de toute une signification anarchiste : « Que je cède au prestige d'Antigone,
il n'y a plus de société [...]. A sa suite, chacun de nous,
pour n'en faire qu'à sa tête, peut invoquer les lois non
écrites, impérissables, émanées des dieux [4]. » Et Barrès,
reprenant une interprétation de Hegel au début du
XIXᵉ siècle, loue Sophocle d'avoir fait disparaître les deux
protagonistes, et d'avoir ainsi annulé une opposition
irréductible entre « la vie sociale et l'état de nature ».
Assez curieusement, Charles Maurras prend parti pour
Antigone dans la mesure où elle représente un ordre plus
profond que celui de Créon. Rompant ainsi avec l'interprétation barrésienne, le prophète de *l'Action française*
cède peut-être plus au prestige de l'art qu'aux obligations
de la logique.

---

1. Nerval *in* S. Fraisse, *op. cit.*, p. 264. — 2. S. Fraisse, *op. cit., ibid.* — 3. *Ibid.*,
p. 270. — 4. *Le voyage à Sparte* (1906), p. 108. Cité par S. Fraisse, *op. cit.*, p. 273.

L'*Antigone* de JEAN COCTEAU, le 20 décembre 1922, attire à nouveau l'attention du public sur le mythe grec, dans la mesure où le théâtre est davantage susceptible de toucher la sensibilité ; d'autant que la pièce est jouée dans des conditions prestigieuses : Charles Dullin, Antonin Artaud et Jean Cocteau figurent parmi les acteurs, le décor est de Picasso, la musique d'Honegger. Cocteau n'avoue pas d'autre dessein que d'avoir voulu traduire la tragédie de Sophocle, en la « contractant » pour mieux en mettre en relief les beautés : « Peut-être mon expérience est-elle un moyen de faire vivre les vieux chefs-d'œuvre. A force d'y habiter, nous les contemplons distraitement, mais parce que je survole un texte célèbre, chacun croit l'entendre pour la première fois [1]. » Son œuvre est effectivement la traduction fidèle de passages bien choisis, mais l'auteur souligne l'anarchisme d'Antigone, pour lequel il avoue nettement sa préférence : « L'instinct me pousse toujours contre la loi. C'est la raison secrète pour laquelle j'ai traduit *Antigone* [2]. »

Si l'on ajoute que l'année 1922 voit paraître l'édition critique de Masqueray sous le patronage de l'Association Guillaume Budé, et que recherches critiques et théâtres d'amateurs ne cessent de s'intéresser à l'œuvre de Sophocle, on conçoit qu'*Antigone* soit loin d'être une inconnue pour le public français lorsque Anouilh fait jouer sa pièce en 1944. On peut néanmoins noter que c'est la première fois, depuis Rotrou, que la scène française accueille un drame original sur ce thème [3].

Quelle conclusion tirer de ces rappels historiques ? A coup sûr on peut noter le prestige du mythe pour une sensibilité moderne : que le heurt de l'individu et de l'État soit nourri ou non par la foi dans une justice divine, c'est toujours le drame de l'homme face à un ordre qu'il récuse. L'individualisme du XXe siècle, douloureusement blessé par les menaces ou les souvenirs du totalitarisme, préfère la révolte d'Antigone au réalisme de Créon, ce qui donne à la thèse de Barrès et surtout à la tragédie d'Anouilh une place originale dans la galerie des interprétations contemporaines [4].

---

1. Jean Cocteau, *Œuvres complètes*, Paris, Marguerat, 1948, tome V, p. 139. — 2. *Lettre à Jacques Maritain*, 1926. Cité par S. Fraisse, *op. cit.*, p. 275. — 3. Pour l'épanouissement du mythe après Anouilh, voir S. Fraisse, *op. cit.*, p. 278-285. — 4. Bertold Brecht a consacré une pièce à Antigone, en chargeant le mythe d'un sens politique tout moderne. Il est intéressant de constater que ce drame de Brecht a été récemment mis en scène (et déformé) par une des troupes les plus hardies du théâtre d'avant-garde, le *Living-Theater* de New-York : la vitalité du mythe ne peut en être que renforcée.

Antigone (Catherine de Seyne) et Ismène (Odile Mallet) au Festival de Mers-el-Kébir, juillet 1959. ISMÈNE. — « Tu sais, j'ai bien pensé, Antigone » (p. 46, l. 18)

ANTIGONE

PERSONNAGES

ANTIGONE
CRÉON
LE CHŒUR
LE GARDE
HÉMON
ISMÈNE
LA NOURRICE
LE MESSAGER
LES GARDES

ANTIGONE de JEAN ANOUILH a été présentée pour la première fois à Paris le 4 février 1944 au théâtre de l'Atelier, dans une mise en scène d'ANDRÉ BARSACQ, avec la distribution suivante : MONELLE VALENTIN, JEAN DAVY, AUGUSTE BOVERIO, BEAUCHAMP, ANDRÉ LE GALL, SUZANNE FLON, ODETTE TALAZAC, RAMBAU-VILLE, MATHOS et SYLVER.

LE PROLOGUE. — « Voilà. Ces personnages vont vous jouer l'histoire d'Antigone... les trois hommes rougeauds qui jouent aux cartes, leur chapeau sur la nuque, ce sont les gardes (I. I, 65 et suiv)

Boverio (le Prologue), Jean Sylver, Paul Mathos et Beauchamp (les Gardes), à l'Atelier, en 1944

Un décor neutre. Trois portes semblables.
Au lever du rideau, tous les personnages
sont en scène. Ils bavardent, tricotent,
jouent aux cartes.
Le Prologue [1] *se détache et s'avance.*

LE PROLOGUE

Voilà. Ces personnages vont vous jouer l'histoire
d'Antigone. Antigone, c'est la petite maigre qui est
assise là-bas, et qui ne dit rien. Elle regarde droit
devant elle. Elle pense. Elle pense qu'elle va être
5 Antigone tout à l'heure, qu'elle va surgir de la maigre
jeune fille noiraude et renfermée que personne ne prenait au sérieux dans la famille et se dresser seule en
face du monde, seule en face de Créon, son oncle, qui
est le roi. Elle pense qu'elle va mourir, qu'elle est
10 jeune et qu'elle aussi aurait bien aimé vivre. Mais
il n'y a rien à faire. Elle s'appelle Antigone et il va
falloir qu'elle joue son rôle jusqu'au bout... Et, depuis
que ce rideau s'est levé, elle sent qu'elle s'éloigne à une
vitesse vertigineuse de sa sœur Ismène, qui bavarde
15 et rit avec un jeune homme, de nous tous, qui sommes
là bien tranquilles à la regarder, de nous qui n'avons
pas à mourir ce soir.

Le jeune homme avec qui parle la blonde, la belle,
l'heureuse Ismène, c'est Hémon, le fils de Créon. Il est
20 le fiancé d'Antigone. Tout le portait vers Ismène : son
goût de la danse et des jeux, son goût du bonheur et
de la réussite, sa sensualité aussi, car Ismène est bien
plus belle qu'Antigone, et puis un soir, un soir de bal
où il n'avait dansé qu'avec Ismène, un soir où Ismène
25 avait été éblouissante dans sa nouvelle robe, il a été
trouver Antigone qui rêvait dans un coin, comme en

---

1. Dans la tragédie grecque jusqu'à Sophocle, on appelait *Prologos* la partie de la
pièce qui précédait l'entrée du chœur. Euripide substitua au dialogue, qui constituait
ce *Prologos*, un monologue récité par un personnage la plupart du temps étranger à
l'action. Ce procédé, abandonné par le théâtre classique, a été repris par les dramaturges du xxᵉ siècle.

ce moment, ses bras entourant ses genoux, et il lui a
demandé d'être sa femme. Personne n'a jamais
compris pourquoi. Antigone a levé sans étonnement
30 ses yeux graves sur lui et elle lui a dit « oui » avec un
petit sourire triste... L'orchestre attaquait une nouvelle danse, Ismène riait aux éclats, là-bas, au milieu
des autres garçons, et voilà, maintenant, lui, il allait
être le mari d'Antigone. Il ne savait pas qu'il ne devait
35 jamais exister de mari d'Antigone sur cette terre et que
ce titre princier lui donnait seulement le droit de
mourir.

Cet homme robuste, aux cheveux blancs, qui médite
là, près de son page, c'est Créon. C'est le roi. Il a des
40 rides, il est fatigué. Il joue au jeu difficile de conduire
les hommes. Avant, du temps d'Œdipe, quand il n'était
que le premier personnage de la cour, il aimait la
musique, les belles reliures, les longues flâneries chez
les petits antiquaires de Thèbes. Mais Œdipe et ses
45 fils sont morts. Il a laissé ses livres, ses objets, il a
retroussé ses manches et il a pris leur place.

Quelquefois, le soir, il est fatigué, et il se demande
s'il n'est pas vain de conduire les hommes. Si cela
n'est pas un office[1] sordide qu'on doit laisser à d'autres,

---

1. *Office* : tâche, service.

ÉTUDE D'ENSEMBLE DU PROLOGUE

Le Prologue est particulièrement important dans la mesure où l'on
y trouve à peu près tous les thèmes qui réapparaîtront dans la suite
de la pièce.

● **La mise en scène** a sa valeur ; on saisit comme une tranche de vie :
les personnages sont vus au lever du rideau dans une activité qu'ils
poursuivent sans se préoccuper du public. Ce procédé est fréquent
chez Anouilh, qui le reprendra en le caricaturant dans une pièce
bien postérieure, *la Grotte*.
On peut noter le calme méditatif des personnages : en dehors
d'Hémon et d'Ismène, qui se parlent, et des gardes qui jouent aux
cartes, les autres sont solitaires.

① Relevez et analysez l'attitude de chacun d'eux.

Il faut noter aussi la familiarité voulue de leur comportement, tout
en remarquant que la note initiale, *Ils bavardent, tricotent, jouent
aux cartes*, ne s'applique ni à Antigone, ni à Créon, ni au messager.
Comment peut-on expliquer le traitement particulier de ces trois
personnages ?

● **Sophocle et Antigone.** Dès le début, Anouilh prend ses distances avec
la tragédie de Sophocle : les anachronismes (l. 65-66, *les gardes qui*
jouent aux cartes, leur chapeau sur la nuque, constituent le plus
agressif d'entre eux ; mais vous relèverez les autres), la familiarité
des attitudes et des évocations nous entraînent loin de la grandeur
antique. Dès le début de sa tragédie (v. 49-57), Sophocle rappelait
le passé dramatique de la famille d'Œdipe :

ISMÈNE

Hélas ! songe, ma sœur, à tout ce qu'eut d'horrible
autant que d'infamant la mort de notre père,
quand, ses égarements découverts par lui-même,
lui-même de sa main se creva les deux yeux ;
puis son épouse et mère — elle eut ce double titre —
par un lacet tressé déshonore sa mort ;
en un seul jour, enfin, deux frères, s'égorgeant,
dans leur double infortune ont à leur destinée
ensemble mis le fer de mutuelles mains ;

(Trad. Marcel Desportes, P. C. Bordas.)

Au lieu de cette vision, le Prologue évoque brièvement et simplement la mort d'Œdipe et de ses fils (étudier la tirade de ce
point de vue). Toute la famille est présentée familièrement et l'on se
croirait dans un drame bourgeois plutôt que dans une tragédie.

② Relevez, dans le prologue, tous les éléments qui peuvent
appuyer une telle remarque.

Enfin, le personnage d'Antigone lui-même n'est pas la vierge d'une
grandeur farouche dont l'imagination brosse le portrait à la lecture
de Sophocle, mais une *maigre jeune fille noiraude et renfermée que*
personne ne prenait au sérieux (l. 5-7).
Inutile de souligner — nous y reviendrons tout au long de
l'œuvre — que les personnages d'Ismène, Créon, Hémon et Eurydice sont purement et simplement des créations d'Anouilh.

● **Les thèmes propres à Anouilh.** Le procédé qui consiste à présenter
des personnages conscients de jouer un rôle (l. 1) n'est pas neuf, et
Pirandello l'a utilisé avec la maîtrise que l'on sait. Mais Anouilh
lui-même s'en est servi très souvent (cf. *le Bal des voleurs ; l'École*
des pères ; l'Alouette ; Pauvre Bitos ; la Répétition). Ici, les personnages qui nous sont présentés ne prétendent pas créer jusqu'au
bout l'illusion dramatique : ils jouent une *histoire*. Le théâtre est
pur artifice (cf. l'introduction, p. 11).

Le thème du bonheur qui se heurte à un destin encore indéterminé
est aussi un thème central dans l'œuvre d'Anouilh. Antigone
aurait bien aimé vivre (l. 10). Mais elle doit devenir ce qu'elle est
profondément. L'idée est ici très proche de celle de Giraudoux à
l'acte I (scène 3) d'*Électre*, lorsque le mendiant parle du danger
qu'il peut y avoir à laisser certains êtres privilégiés « se déclarer »,
c'est-à-dire montrer leur nature profonde : « Tout se déclare dans
la nature ! jusqu'au roi. » Qu'Antigone vienne à jouer le rôle pour
lequel elle est faite, c'en est fini de son bonheur et de la tranquillité
de son entourage.

Élisabeth Hardy (Antigone) et Odette Falazac, à l'Atelier, en 1953

ANTIGONE. — « Ne pleure plus, s'il te plaît, nounou... » (p. 44, l. 83)

Huguette Forge (Antigone) et Alice Reichen (la nourrice) répétant en plein air pour les Tréteaux de France, en 1960

50 plus frustes... Et puis, au matin, des problèmes précis
se posent, qu'il faut résoudre, et il se lève, tranquille,
comme un ouvrier au seuil de sa journée.

La vieille dame qui tricote, à côté de la nourrice qui
a élevé les deux petites, c'est Eurydice, la femme de
55 Créon. Elle tricotera pendant toute la tragédie jusqu'à
ce que son tour vienne de se lever et de mourir. Elle
est bonne, digne, aimante. Elle ne lui est d'aucun
secours. Créon est seul. Seul avec son petit page qui
est trop petit et qui ne peut rien non plus pour lui.
60 Ce garçon pâle, là-bas, au fond, qui rêve adossé au
mur, solitaire, c'est le Messager. C'est lui qui viendra
annoncer la mort d'Hémon tout à l'heure. C'est pour
cela qu'il n'a pas envie de bavarder ni de se mêler aux
autres. Il sait déjà...
65 Enfin les trois hommes rougeauds qui jouent aux
cartes, leur chapeau sur la nuque, ce sont les gardes.
Ce ne sont pas de mauvais bougres, ils ont des femmes,
des enfants, et des petits ennuis comme tout le
monde, mais ils vous empoigneront les accusés le plus
70 tranquillement du monde tout à l'heure. Ils sentent
l'ail, le cuir [1] et le vin rouge et ils sont dépourvus de
toute imagination. Ce sont les auxiliaires toujours
innocents et toujours satisfaits d'eux-mêmes, de la
justice. Pour le moment, jusqu'à ce qu'un nouveau
75 chef de Thèbes dûment mandaté leur ordonne de
l'arrêter à son tour, ce sont les auxiliaires de la
justice de Créon.

Et maintenant que vous les connaissez tous, ils
vont pouvoir vous jouer leur histoire. Elle commence
80 au moment où les deux fils d'Œdipe, Étéocle et
Polynice, qui devaient régner sur Thèbes un an chacun à tour de rôle, se sont battus et entretués sous
les murs de la ville, Étéocle l'aîné, au terme de la première année de pouvoir ayant refusé de céder la place
85 à son frère. Sept grands princes étrangers que Polynice
avait gagnés à sa cause ont été défaits devant les sept
portes de Thèbes. Maintenant la ville est sauvée, les
deux frères ennemis sont morts et Créon, le roi, a

---

1. Par souci d'anachronisme, les gardes étaient vêtus de vestes de *cuir* à la représentation.

ordonné qu'à Étéocle, le bon frère, il serait fait
90 d'imposantes funérailles, mais que Polynice, le vau-
rien, le révolté, le voyou, serait laissé sans pleurs et
sans sépulture, la proie des corbeaux et des chacals.
Quiconque osera lui rendre les devoirs funèbres
sera impitoyablement puni de mort.

> *Pendant que le Prologue parlait, les per-*
> *sonnages sont sortis un à un. Le Prologue*
> *disparaît aussi.*
> *L'éclairage s'est modifié sur la scène.*
> *C'est maintenant une aube grise et livide*
> *dans une maison qui dort.*
> *Antigone entrouvre la porte et rentre de*
> *l'extérieur sur la pointe de ses pieds nus,*
> *ses souliers à la main. Elle reste un instant*
> *immobile à écouter.*
> *La nourrice surgit.*

LA NOURRICE

D'où viens-tu ?

ANTIGONE

De me promener, nourrice. C'était beau. Tout était
gris. Maintenant, tu ne peux pas savoir, tout est déjà
rose, jaune, vert. C'est devenu une carte postale. Il
5 faut te lever plus tôt, nourrice, si tu veux voir un
monde sans couleurs.

Elle va passer.

LA NOURRICE

Je me lève quand il fait encore noir, je vais à ta
chambre pour voir si tu ne t'es pas découverte en
dormant et je ne te trouve plus dans ton lit !

ANTIGONE

10 Le jardin dormait encore. Je l'ai surpris, nourrice.
Je l'ai vu sans qu'il s'en doute. C'est beau un jardin
qui ne pense pas encore aux hommes.

LA NOURRICE

Tu es sortie. J'ai été à la porte du fond, tu l'avais
laissée entrebâillée.

ANTIGONE

15 Dans les champs c'était tout mouillé et cela attendait. Tout attendait. Je faisais un bruit énorme toute
seule sur la route et j'étais gênée parce que je savais
bien que ce n'était pas moi qu'on attendait. Alors
j'ai enlevé mes sandales et je me suis glissée dans la
20 campagne sans qu'elle s'en aperçoive...

LA NOURRICE

Il va falloir te laver les pieds avant de te remettre
au lit.

ANTIGONE

Je ne me recoucherai pas ce matin.

LA NOURRICE

A quatre heures ! Il n'était pas quatre heures ! Je
25 me lève pour voir si elle n'était pas découverte.
Je trouve son lit froid et personne dedans.

ANTIGONE

Tu crois que, si on se levait comme cela tous les
matins, ce serait tous les matins aussi beau, nourrice,
d'être la première fille dehors ?

LA NOURRICE

30 La nuit ! C'était la nuit ! Et tu veux me faire croire
que tu as été te promener, menteuse ! D'où viens-tu ?

ANTIGONE *a un étrange sourire.*

C'est vrai, c'était encore la nuit. Et il n'y avait que
moi dans toute la campagne à penser que c'était le
matin. C'est merveilleux, nourrice. J'ai cru au jour la
35 première aujourd'hui.

LA NOURRICE

Fais la folle ! Fais la folle ! Je la connais, la chan-
son. J'ai été fille avant toi. Et pas commode non plus,
mais dure tête comme toi, non. D'où viens-tu,
mauvaise ?

ANTIGONE, *soudain grave.*

40   Non. Pas mauvaise.

LA NOURRICE

Tu avais un rendez-vous, hein ? Dis non, peut-être.

ANTIGONE, *doucement.*

Oui. J'avais un rendez-vous.

LA NOURRICE

Tu as un amoureux ?

ANTIGONE, *étrangement,*
après un silence.

Oui, nourrice, oui, le pauvre. J'ai un amoureux.

LA NOURRICE *éclate.*

45   Ah ! c'est du joli ! c'est du propre ! Toi, la fille d'un
roi ! Donnez-vous du mal ; donnez-vous du mal pour
les élever ! Elles sont toutes les mêmes. Tu n'étais
pourtant pas comme les autres, toi, à t'attifer toujours devant la glace, à te mettre du rouge aux lèvres,
50   à chercher à ce qu'on te remarque. Combien de fois
je me suis dit : « Mon Dieu, cette petite, elle n'est pas
assez coquette ! Toujours avec la même robe et mal
peignée. Les garçons ne verront qu'Ismène avec ses
bouclettes et ses rubans et ils me la laisseront sur les
55   bras. » Eh bien, tu vois, tu étais comme ta sœur, et
pire encore, hypocrite ! Qui est-ce ? Un voyou, hein,
peut-être ? Un garçon que [1] tu ne peux pas dire à ta
famille : « Voilà, c'est lui que j'aime, je veux
l'épouser. » C'est ça, hein, c'est ça ? Réponds donc,
60 fanfaronne !

ANTIGONE *a encore un sourire imperceptible.*

Oui, nourrice.

---

[1]. Tournure familière pour : *un garçon* dont *tu ne peux pas dire...*

LA NOURRICE

Et elle dit oui ! Miséricorde ! Je l'ai eue toute
gamine ; j'ai promis à sa pauvre mère que j'en ferais
une honnête fille, et voilà ! Mais ça ne va pas se passer
65 comme ça, ma petite. Je ne suis que ta nourrice, et tu
me traites comme une vieille bête, bon ! mais ton oncle,
ton oncle Créon saura. Je te le promets !

ANTIGONE, *soudain un peu lasse.*

Oui, nourrice, mon oncle Créon saura. Laisse-moi
maintenant.

[*La nourrice évoque ensuite les reproches que ne man-
querait pas de lui faire Jocaste, qui lui avait confié
Antigone avant de mourir.*]

● **Première scène entre Antigone et la nourrice** (p. 40-45)

La tragédie de Sophocle commençait beaucoup plus directement
par un dialogue entre Antigone et Ismène. Anouilh introduit sa
pièce par une conversation familière entre Antigone et la nourrice,
ce qui donne un ton bonhomme à ce début, qui tient en même temps
en éveil la curiosité du spectateur. On doit remarquer le contraste
entre **la nourrice**, simple, terre-à-terre, un peu bougonne, et la
jeune fille, lointaine déjà, énigmatique et rêveuse.

① Relevez tous les détails qui accentuent ce contraste. La nourrice
est un personnage de comédie — et de comédie moderne : les
anachronismes sont nombreux dans son langage (relevez-les).

Antigone, de son côté, apparaît dès l'abord comme une jeune fille
d'Anouilh et non comme une héroïne antique. Son goût du petit
matin, avec sa fraîcheur et sa pureté, est très caractéristique : le
monde de ce premier matin, pur, harmonieux, est celui des rêves.
C'est l'univers d'avant la création de l'homme, donc d'avant la
faute : *un jardin qui ne pense pas encore aux hommes* (l. 11-12). Ainsi
y a-t-il dans les paroles d'Antigone une valeur symbolique
attachée au jour, au matin, indépendante de l'action de la tragédie.
La jeune fille rêve de se régénérer en abolissant le temps. C'est une
forme du mythe du paradis perdu.

② Analysez dans ce sens les tirades d'Antigone jusqu'à : *J'ai cru au
jour la première aujourd'hui* (l. 34-35).

A partir de cette phrase commence un quiproquo qui nous achemine
vers le sujet du drame, mais qui révèle aussi quelques aspects inté-
ressants du personnage d'Anouilh : la tendresse, la patience, un
certain infantilisme contrastant avec une étrange gravité.

③ Justifiez ces remarques en vous référant au texte.

④ Montrez comment, dans tout ce passage, la simplicité familière
du style n'exclut ni le pathétique ni la poésie.

ANTIGONE

70 Non, nourrice. Ne pleure plus. Tu pourras regarder
maman bien en face, quand tu iras la retrouver. Et elle
te dira : « Bonjour, nounou, merci pour la petite Antigone. Tu as bien pris soin d'elle. » Elle sait pourquoi je
suis sortie ce matin.

LA NOURRICE

75 Tu n'as pas d'amoureux ?

ANTIGONE

Non, nounou.

LA NOURRICE

Tu te moques de moi, alors ? Tu vois, je suis trop
vieille. Tu étais ma préférée malgré ton sale caractère.
Ta sœur était plus douce, mais je croyais que c'était toi
80 qui m'aimais. Si tu m'aimais, tu m'aurais dit la vérité.
Pourquoi ton lit était-il froid quand je suis venue te
border ?

ANTIGONE

Ne pleure plus, s'il te plaît, nounou. (*Elle l'embrasse.*)
Allons, ma vieille bonne pomme rouge. Tu sais quand
85 je te frottais pour que tu brilles ? Ma vieille pomme
toute ridée. Ne laisse pas couler tes larmes dans toutes
les petites rigoles, pour des bêtises comme cela — pour
rien. Je suis pure, je n'ai pas d'autre amoureux
qu'Hémon, mon fiancé, je te le jure. Je peux même te
90 jurer, si tu veux, que je n'aurai jamais d'autre amoureux... Garde tes larmes, garde tes larmes ; tu en auras
peut-être besoin encore, nounou. Quand tu pleures
comme cela, je redeviens petite... Et il ne faut pas que
je sois petite ce matin.

Entre Ismène.

ISMÈNE

95 Tu es déjà levée ? Je viens de ta chambre.

ANTIGONE

Oui, je suis déjà levée.

LA NOURRICE

Toutes les deux alors !... Toutes les deux vous allez devenir folles et vous lever avant les servantes ? Vous croyez que c'est bon d'être debout le matin à jeun, que 100 c'est convenable pour des princesses ? Vous n'êtes seulement pas couvertes. Vous allez voir que vous allez encore me prendre mal.

ANTIGONE

Laisse-nous, nourrice. Il ne fait pas froid, je t'assure ; c'est déjà l'été. Va nous faire du café. (*Elle s'est assise,* 105 *soudain fatiguée.*) Je voudrais bien un peu de café, s'il te plaît, nounou. Cela me ferait du bien.

LA NOURRICE

Ma colombe ! La tête lui tourne d'être sans rien et je suis là comme une idiote au lieu de lui donner quelque chose de chaud.

Elle sort vite.

ISMÈNE

Tu es malade ?

ANTIGONE

Ce n'est rien. Un peu de fatigue. (*Elle sourit.*) C'est parce que je me suis levée tôt.

ISMÈNE

Moi non plus je n'ai pas dormi.

ANTIGONE *sourit encore.*

5 Il faut que tu dormes. Tu serais moins belle demain.

ISMÈNE

Ne te moque pas.

ANTIGONE

Je ne me moque pas. Cela me rassure ce matin, que tu sois belle. Quand j'étais petite, j'étais si malheureuse, tu te souviens ? Je te barbouillais de terre, je te 10 mettais des vers dans le cou. Une fois je t'ai attachée

à un arbre et je t'ai coupé tes cheveux, tes beaux cheveux... (*Elle caresse les cheveux d'Ismène.*) Comme cela
doit être facile de ne pas penser de bêtises avec toutes
ces belles mèches lisses et bien ordonnées autour de la
15 tête !

ISMÈNE, soudain.

Pourquoi parles-tu d'autre chose ?

ANTIGONE, doucement, sans cesser
de lui caresser les cheveux.

Je ne parle pas d'autre chose...

ISMÈNE

Tu sais, j'ai bien pensé, Antigone.

ANTIGONE

Oui.

ISMÈNE

20 J'ai bien pensé toute la nuit. Tu es folle.

ANTIGONE

Oui.

ISMÈNE

Nous ne pouvons pas.

ANTIGONE, après un silence,
de sa petite voix.

Pourquoi ?

ISMÈNE

Il nous ferait mourir.

ANTIGONE

25 Bien sûr. A chacun son rôle. Lui [1], il doit nous faire
mourir, et nous, nous devons aller enterrer notre frère [2].
C'est comme cela que ç'a été distribué. Qu'est-ce que tu
veux que nous y fassions ?

---

1. Créon. — 2. Polynice.

ISMÈNE

Je ne veux pas mourir.

ANTIGONE, *doucement*.

30 Moi aussi j'aurais bien voulu ne pas mourir.

ISMÈNE

Écoute, j'ai bien réfléchi toute la nuit. Je suis l'aînée.
Je réfléchis plus que toi. Toi, c'est ce qui te passe par la
tête tout de suite, et tant pis si c'est une bêtise. Moi, je
suis plus pondérée. Je réfléchis.

ANTIGONE

35 Il y a des fois où il ne faut pas trop réfléchir.

ISMÈNE

Si, Antigone. D'abord c'est horrible, bien sûr, et j'ai
pitié moi aussi de mon frère, mais je comprends un peu
notre oncle.

ANTIGONE

Moi je ne veux pas comprendre un peu.

ISMÈNE

40 Il est le roi, il faut qu'il donne l'exemple.

ANTIGONE

Moi, je ne suis pas le roi. Il ne faut pas que je donne
l'exemple, moi... Ce [1] qui lui passe par la tête, la petite
Antigone, la sale bête, l'entêtée, la mauvaise, et puis
on la met dans un coin ou dans un trou. Et c'est bien
45 fait pour elle. Elle n'avait qu'à ne pas désobéir !

ISMÈNE

Allez ! Allez !... Tes sourcils joints, ton regard droit
devant toi et te voilà lancée sans écouter personne.
Écoute-moi. J'ai raison plus souvent que toi.

---

1. Voyez *ce qui lui passe par la tête*... Langage familier.

ANTIGONE

Je ne veux pas avoir raison.

ISMÈNE

50   Essaie de comprendre au moins !

ANTIGONE

Comprendre... Vous n'avez que ce mot-là dans la
bouche, tous, depuis que je suis toute petite. Il fallait
comprendre qu'on ne peut pas toucher à l'eau, à la
belle eau fuyante et froide parce que cela mouille les
55 dalles, à la terre parce que cela tache les robes. Il fallait
comprendre qu'on ne doit pas manger tout à la fois,
donner tout ce qu'on a dans ses poches au mendiant
qu'on rencontre, courir, courir dans le vent jusqu'à ce
qu'on tombe par terre et boire quand on a chaud et se
60 baigner quand il est trop tôt ou trop tard, mais pas
juste quand on en a envie ! Comprendre. Toujours
comprendre. Moi, je ne veux pas comprendre. Je
comprendrai quand je serai vieille. (*Elle achève
doucement.*) Si je deviens vieille. Pas maintenant.

ISMÈNE

65   Il est plus fort que nous, Antigone. Il est le roi. Et ils
pensent tous comme lui dans la ville. Ils sont des milliers et des milliers autour de nous, grouillant dans
toutes les rues de Thèbes.

ANTIGONE

Je ne t'écoute pas.

ISMÈNE

70   Ils nous hueront. Ils nous prendront avec leurs mille
bras, leurs mille visages et leur unique regard. Ils nous
cracheront à la figure. Et il faudra avancer dans leur
haine sur la charrette avec leur odeur et leurs rires
jusqu'au supplice. Et là il y aura les gardes avec leurs
75 têtes d'imbéciles, congestionnées sur leurs cols raides,
leurs grosses mains lavées, leur regard de bœuf —
qu'on [1] sent qu'on pourra toujours crier, essayer de leur

---

1. Tournure familière, comme plus haut : p. 42, en note.

faire comprendre, qu'ils vont comme des nègres et
qu'ils feront tout ce qu'on leur a dit scrupuleusement,
80 sans savoir si c'est bien ou mal... Et souffrir ? Il faudra
souffrir, sentir que la douleur monte, qu'elle est arrivée
au point où l'on ne peut plus la supporter ; qu'il faudrait qu'elle s'arrête, mais qu'elle continue pourtant et
monte encore, comme une voix aiguë... Oh ! je ne peux
85 pas, je ne peux pas...

ANTIGONE

Comme tu as bien tout pensé !

● **La scène entre Antigone et Ismène** (p. 45-50)

Dans l'*Antigone* de Sophocle, cette scène ouvre la tragédie.

Ismène, comme dans la pièce d'Anouilh, « imagine la mort misérable entre toutes » (v. 59) qui les attend si elles sont rebelles à
l'ordre de Créon. Mais plus qu'à la crainte irrationnelle, elle obéit à
la raison : il ne faut pas transgresser les ordres de la cité, et de toute
manière un tel acte est inutile.

> *Pour moi, je supplierai ceux qui sont sous la terre*
> *de ne m'en vouloir point, car je ne suis pas libre ;*
> *j'agirai comme ont dit les hommes au pouvoir :*
> *qui franchit sa mesure atteint la déraison.*

(V. 65-68, trad. M. Desportes, Bordas)

Chez Anouilh, Ismène cède également à la force (*Il est plus fort que
nous, Antigone,* l. 65). Mais ce n'est plus, comme chez Sophocle, par
raison. La cause profonde est la terreur de la mort et une véritable
répugnance pour la foule toute-puissante, *grouillant dans toutes les
rues de Thèbes* (l. 67-68). L'aristocratisme d'Anouilh se dévoile dans la
longue tirade où Ismène décrit la charrette des condamnés (l. 70-80).

① Analysez tous les détails expressifs de ce passage.

Antigone obéit, chez Sophocle, à deux impératifs d'ailleurs associés : le devoir fraternel, et la piété à l'égard des dieux. Aussi son
geste n'est-il pas un crime, mais une belle action : elle est οσια
κανουργησας, « saintement criminelle » (selon la belle traduction
de P. Mazon).

Chez Anouilh, la scène commence par être proche du modèle
antique, malgré l'absence de toute référence aux dieux (montrez-le).
Mais une toute nouvelle idée apparaît : celle d'un destin qui pousse
la société à se faire obéir (*Lui, il doit nous faire mourir,* l. 25-26),
et qui entraîne les individus à désobéir. Semblant oublier son frère,
Antigone transforme son geste en une véritable révolte anarchiste
contre tous ceux qui la font obéir depuis son enfance.

② Étudiez les paroles du personnage en fonction de cette remarque.

ISMÈNE

Toute la nuit. Pas toi ?

ANTIGONE

Si, bien sûr.

ISMÈNE

Moi, tu sais, je ne suis pas très courageuse.

ANTIGONE, *doucement.*

90   Moi non plus. Mais qu'est-ce que cela fait ?

Il y a un silence, Ismène demande soudain :

ISMÈNE

Tu n'as donc pas envie de vivre, toi ?

ANTIGONE *murmure.*

Pas envie de vivre... *(Et plus doucement encore si c'est possible.)* Qui se levait la première, le matin, rien que pour sentir l'air froid sur sa peau nue ? Qui se cou-
5 chait la dernière seulement quand elle n'en pouvait plus de fatigue, pour vivre encore un peu de la nuit ? Qui pleurait déjà toute petite, en pensant qu'il y avait tant de petites bêtes, tant de brins d'herbe dans le pré et qu'on ne pouvait pas tous les prendre ?

ISMÈNE *a un élan soudain vers elle.*

10   Ma petite sœur...

ANTIGONE *se redresse et crie.*

Ah, non ! Laisse-moi ! Ne me caresse pas ! Ne nous mettons pas à pleurnicher ensemble, maintenant. Tu as bien réfléchi, tu dis ? Tu penses que toute la ville hurlante contre toi, tu penses que la douleur et la
15 peur de mourir, c'est assez ?

ISMÈNE *baisse la tête.*

Oui.

ANTIGONE

Sers-toi de ces prétextes [1].

ISMÈNE *se jette contre elle.*

Antigone ! Je t'en supplie ! C'est bon pour les
hommes de croire aux idées et de mourir pour elles.
20 Toi, tu es une fille.

ANTIGONE, *les dents serrées.*

Une fille, oui. Ai-je assez pleuré d'être une fille !

ISMÈNE

Ton bonheur est là devant toi et tu n'as qu'à le
prendre. Tu es fiancée, tu es jeune, tu es belle...

ANTIGONE, *sourdement.*

Non, je ne suis pas belle.

ISMÈNE

25 Pas belle comme nous, mais autrement. Tu sais
bien que c'est sur toi que se retournent les petits
voyous dans la rue ; que c'est toi que les petites filles
regardent passer, soudain muettes, sans pouvoir te
quitter des yeux jusqu'à ce que tu aies tourné le coin.

ANTIGONE *a un petit sourire imperceptible.*

30 Des voyous, des petites filles...

ISMÈNE, *après un temps.*

Et Hémon, Antigone ?

ANTIGONE, *fermée.*

Je parlerai tout à l'heure à Hémon : Hémon sera
tout à l'heure une affaire réglée.

ISMÈNE

Tu es folle.

---

1. Traduction du vers 80 de l'*Antigone* de Sophocle.

ANTIGONE *sourit.*

35 Tu m'as toujours dit que j'étais folle, pour tout,
depuis toujours. Va te recoucher, Ismène... Il fait
jour maintenant, tu vois, et, de toute façon, je ne
pourrais rien faire. Mon frère mort est maintenant
entouré d'une garde exactement comme s'il avait
40 réussi à se faire roi. Va te recoucher. Tu es toute pâle
de fatigue.

ISMÈNE

Et toi ?

ANTIGONE

Je n'ai pas envie de dormir... Mais je te promets que
je ne bougerai pas d'ici avant ton réveil. Nourrice va
45 m'apporter à manger. Va dormir encore. Le soleil se
lève seulement. Tu as les yeux tout petits de sommeil.
Va...

ISMÈNE

Je te convaincrai, n'est-ce pas ? Je te convaincrai ?
Tu me laisseras te parler encore ?

ANTIGONE, *un peu lasse.*

50 Je te laisserai me parler, oui. Je vous laisserai tous
me parler. Va dormir maintenant, je t'en prie. Tu serais
moins belle demain. *(Elle la regarde sortir avec un petit
sourire triste, puis elle tombe soudain lasse sur une
chaise.)* Pauvre Ismène !...

LA NOURRICE *entre.*

55 Tiens, te voilà un bon café et des tartines, mon
pigeon. Mange.

ANTIGONE

Je n'ai pas très faim, nourrice.

LA NOURRICE

Je te les ai grillées moi-même et beurrées comme tu
les aimes.

ANTIGONE

60 Tu es gentille, nounou. Je vais seulement boire un
peu.

LA NOURRICE

Où as-tu mal ?

ANTIGONE

Nulle part, nounou. Mais fais-moi tout de même
bien chaud comme lorsque j'étais malade... Nounou
65 plus forte que la fièvre, nounou plus forte que le
cauchemar, plus forte que l'ombre de l'armoire qui
ricane et se transforme d'heure en heure sur le mur,
plus forte que les mille insectes du silence qui rongent
quelque chose, quelque part dans la nuit, plus forte
70 que la nuit elle-même avec son hululement de folle

● **Fin du dialogue Antigone-Ismène** (p. 50-52)

Nous avons vu (commentaire p. 43) la valeur symbolique du matin,
qui figurait la pureté souhaitée par Antigone. Ici (l. 3-4), la même
image sert à suggérer la sensualité et l'appétit de bonheur qui
poussent la jeune fille à vouloir posséder le monde.

Si l'on ne craignait pas d'introduire dans le texte une philosophie
à laquelle Anouilh s'est toujours refusé, on pourrait parler de l'angoisse existentielle liée au temps (... *pour vivre encore un peu de la
nuit*, l. 6) et à l'espace (... *tant de petites bêtes, tant de brins d'herbe
dans le pré et qu'on ne pouvait pas tous les prendre*, l. 8-9).

Il faut étudier également, dans ce passage, les rapports d'Ismène et
d'Antigone : Anouilh a établi entre les deux sœurs une tendresse
que Sophocle réserve à Ismène. D'autre part, il a imaginé une rivalité entre une Ismène resplendissante de beauté et une Antigone
moins belle mais d'une séduisante étrangeté.

① Montrez comment la tendresse n'exclut pas la rivalité entre
les deux sœurs.

● **Nouveau dialogue entre la nourrice et Antigone** (p.52-54)

② La tendresse de la nourrice éveille l'angoisse d'Antigone. Comment s'exprime cette angoisse ?

Une menace plane sur les personnages : le drame s'apprête à éclater.
Mais inutile de souligner que la puérilité des plaintes de la jeune
fille n'apparaît pas chez Sophocle. « Le charme d'Antigone, dans
la pièce d'Anouilh, c'est le charme de l'enfance. Un charme dange-
reux et menacé. On ne comprendrait rien à cette fille maigre et brû-
lante, si l'on ne convenait pas d'abord qu'elle est une petite fille »
(Pol Vandromme, *op. cit.*, p. 95).

qu'on n'entend pas : nounou plus forte que la mort. Donne-moi ta main comme lorsque tu restais à côté de mon lit.

LA NOURRICE

Qu'est-ce que tu as, ma petite colombe ?

ANTIGONE

75   Rien, nounou. Je suis seulement encore un peu petite pour tout cela. Mais il n'y a que toi qui dois le savoir.

[*Antigone fait jurer à la nourrice de s'occuper de sa petite chienne* (voir p. 60, l. 6). *La nourrice sort, étonnée et un peu inquiète. Hémon paraît.*]

ANTIGONE *court à Hémon.*

Pardon, Hémon, pour notre dispute d'hier soir et pour tout. C'est moi qui avais tort. Je te prie de me pardonner.

HÉMON

Tu sais bien que je t'avais pardonnée, à peine avais-
5 tu claqué la porte. Ton parfum était encore là et je t'avais déjà pardonnée. *(Il la tient dans ses bras, il sourit, il la regarde.)* A qui l'avais-tu volé, ce parfum ?

ANTIGONE

A Ismène.

HÉMON

Et le rouge à lèvres, la poudre, la belle robe

ANTIGONE

10   Aussi.

HÉMON

En quel honneur t'étais-tu faite si belle ?

ANTIGONE

Je te le dirai. *(Elle se serre contre lui un peu plus fort.)* Oh ! mon chéri, comme j'ai été bête ! Tout un soir gaspillé. Un beau soir.

HÉMON

15   Nous aurons d'autres soirs, Antigone.

ANTIGONE

Peut-être pas.

HÉMON

Et d'autres disputes aussi. C'est plein de disputes un bonheur.

ANTIGONE

Un bonheur, oui... Écoute, Hémon. .

HÉMON

20   Oui.

ANTIGONE

Ne ris pas ce matin. Sois grave.

HÉMON

Je suis grave.

ANTIGONE

Et serre-moi. Plus fort que tu ne m'as jamais serrée. Que toute ta force s'imprime dans moi.

HÉMON

25   Là. De toute ma force.

ANTIGONE, *dans un souffle.*

C'est bon. *(Ils restent un instant sans rien dire, puis elle commence doucement.)* Écoute, Hémon.

HÉMON

Oui.

ANTIGONE

Je voulais te dire ce matin... Le petit garçon que
30 nous aurions eu tous les deux...

HÉMON

Oui.

ANTIGONE

Tu sais, je l'aurais bien défendu contre tout.

HÉMON

Oui, Antigone.

ANTIGONE

Oh ! je l'aurais serré si fort qu'il n'aurait jamais eu
35 peur, je te le jure. Ni du soir qui vient, ni de l'angoisse
du plein soleil immobile, ni des ombres... Notre petit
garçon, Hémon ! Il aurait eu une maman toute petite
et mal peignée — mais plus sûre que toutes les vraies
mères du monde avec leur vraies poitrines et leurs
40 grands tabliers. Tu le crois, n'est-ce pas, toi ?

HÉMON

Oui, mon amour.

ANTIGONE

Et tu crois aussi, n'est-ce pas, que toi, tu aurais eu
une vraie femme ?

HÉMON *la tient.*

J'ai une vraie femme.

ANTIGONE *crie soudain, blottie contre lui.*

45 Oh ! tu m'aimais, Hémon, tu m'aimais, tu en es bien
sûr, ce soir-là ?

HÉMON *la berce doucement.*

Quel soir ?

ANTIGONE

Tu es bien sûr qu'à ce bal où tu es venu me chercher
dans mon coin [1] tu ne t'es pas trompé de jeune fille ?
50 Tu es sûr que tu n'as jamais regretté depuis, jamais
pensé, même tout au fond de toi, même une fois, que
tu aurais plutôt dû demander Ismène ?

HÉMON

Idiote !

ANTIGONE

Tu m'aimes, n'est-ce pas ? Tu m'aimes comme une
55 femme ? Tes bras qui me serrent ne mentent pas ?
Tes grandes mains posées sur mon dos ne mentent
pas, ni ton odeur, ni ce bon chaud, ni cette grande
confiance qui m'inonde quand j'ai la tête au creux de
ton cou ?

HÉMON

60 Oui, Antigone, je t'aime comme une femme.

ANTIGONE

Je suis noire et maigre. Ismène est rose et dorée
comme un fruit.

HÉMON *murmure*.

Antigone...

ANTIGONE

Oh ! Je suis toute rouge de honte. Mais il faut que je
65 sache ce matin. Dis la vérité, je t'en prie. Quand tu
penses que je serai à toi, est-ce que tu sens au milieu
de toi comme un grand trou qui se creuse, comme
quelque chose qui meurt ?

HÉMON

Oui, Antigone.

ANTIGONE, *dans un souffle,*
après un temps.

70 Moi, je sens comme cela. Et je voulais te dire que
j'aurais été fière d'être ta femme, ta vraie femme, sur

---

1. Voir p. 35, l. 26.

qui tu aurais posé ta main, le soir, en t'asseyant, sans
penser, comme sur une chose bien à toi. (*Elle s'est
détachée de lui, elle a pris un autre ton.*) Voilà. Mainte-
75 nant, je vais te dire encore deux choses. Et quand je
les aurai dites il faudra que tu sortes sans me question-
ner. Même si elles te paraissent extraordinaires, même
si elles te font de la peine. Jure-le-moi.

HÉMON

Qu'est-ce que tu vas me dire encore ?

ANTIGONE

80   Jure-moi d'abord que tu sortiras sans rien me dire.
Sans même me regarder. Si tu m'aimes, jure-le-moi.
(*Elle le regarde avec son pauvre visage bouleversé.*) Tu
vois comme je te le demande, jure-le-moi, s'il te plaît,
Hémon... C'est la dernière folie que tu auras à me
85 passer.

HÉMON, *après un temps.*

Je te le jure.

ANTIGONE

Merci. Alors, voilà. Hier d'abord. Tu me demandais
tout à l'heure pourquoi j'étais venue avec une robe
d'Ismène, ce parfum et ce rouge à lèvres. J'étais bête.
90 Je n'étais pas très sûre que tu me désires vraiment et
j'avais fait tout cela pour être un peu plus comme les
autres filles, pour te donner envie de moi.

HÉMON

C'était pour cela ?

ANTIGONE

Oui. Et tu as ri et nous nous sommes disputés et mon
95 mauvais caractère a été le plus fort, je me suis sauvée.
(*Elle ajoute plus bas.*) Mais j'étais venue chez toi pour
que tu me prennes hier soir, pour que je sois ta femme
avant. (*Il recule, il va parler, elle crie.*) Tu m'as juré de
ne pas me demander pourquoi. Tu m'as juré, Hémon !
100 (*Elle dit plus bas, humblement.*) Je t'en supplie... (*Et elle*

LA RENCONTRE D'ANTIGONE ET HÉMON (p. 54-60)

● **Faiblesse d'Antigone**

L'attitude d'Antigone relève d'une interprétation romantique du personnage et ne doit rien à Sophocle. A aucun moment l'Antigone antique n'avoue son amour pour Hémon. Seul, le vers 572 :

Cher Hémon, quel mépris te témoigne ton père !

pourrait faire illusion, mais il est à mettre dans la bouche d'Ismène, contrairement à l'opinion des commentateurs depuis la Renaissance jusqu'au livre d'Henri Patin sur les tragiques grecs (1841), qui mit fin à l'erreur.
En fait, les romantiques voyaient dans la femme un être généreux mais fragile, dont la volonté n'est pas à la hauteur de la grandeur d'âme. Pourtant, dès le début du XIXe siècle, Schlegel avait fait une mise au point définitive dans son cours de littérature dramatique : « L'idéal de la femme est présenté dans *Antigone* sous un aspect très sévère. Ce rôle seul suffirait pour mettre fin à toutes ces peintures doucereuses des sentiments des Grecs qu'on a tracées depuis peu en Allemagne [...]. Elle approche de la dureté [...]. Elle ne trahit par aucune parole son penchant pour Hémon » (cité par S. Fraisse, art. cit., p. 258).
Notre Antigone est bien un personnage d'Anouilh: sensuelle, avide de bonheur, de vie et d'amour.

● **Antigone et la maternité**

Nous avons vu Antigone faire l'enfant avec sa nourrice, nous la voyons maintenant aspirer invinciblement à un rôle de mère protectrice, toute-puissante.

① Cf. le jugement de Pol Vandromme (*op. cit.*, p. 98) : « L'enfance rêve la maternité ; elle la conçoit comme un prolongement d'elle-même. Après s'être réinventée dans les berceuses de naguère, elle invente l'univers des adultes à son image. Et l'on pressent subitement pourquoi elle veut tout de suite s'affirmer dans la maternité : pour épargner aux autres ce qu'elle a dû subir, pour terrasser les peurs qui furent les siennes, pour dresser les barrières qui lui ont manqué, pour réussir enfin une enfance. » Justifiez ce jugement.

● **Le dédoublement du personnage d'Antigone**

Tout se passe comme si, au cours de la scène, l'héroïne antique prenait peu à peu le dessus sur la jeune fille affectueuse et sensuelle qui s'est découverte un instant. A la fin du texte (l. 119-120), le personnage mythique s'est affirmé, il a joué son rôle, et Antigone s'adresse à cette part d'elle-même comme à une étrangère : *Voilà. C'est fini pour Hémon, Antigone.*

③ Analysez l'attitude d'Hémon devant Antigone. Pourquoi parle-t-il si peu ? Vous paraît-il fortement dessiné ?

ajoute, se détournant, dure.) D'ailleurs, je vais te dire.
Je voulais être ta femme quand même parce que je
t'aime comme cela, moi, très fort, et que — je vais te
faire de la peine, ô mon chéri, pardon ! — que jamais,
105 jamais, je ne pourrai t'épouser. (*Il est resté muet de
stupeur, elle court à la fenêtre, elle crie.*) Hémon, tu me
l'as juré ! Sors. Sors tout de suite sans rien dire. Si tu
parles, si tu fais un seul pas vers moi, je me jette par
cette fenêtre. Je te le jure, Hémon. Je te le jure sur la
110 tête du petit garçon que nous avons eu tous les deux en
rêve, du seul petit garçon que j'aurai jamais. Pars
maintenant, pars vite. Tu sauras demain. Tu sauras
tout à l'heure. (*Elle achève avec un tel désespoir
qu'Hémon obéit et s'éloigne.*) S'il te plaît, pars, Hémon.
115 C'est tout ce que tu peux faire encore pour moi, si tu
m'aimes. (*Il est sorti. Elle reste sans bouger, le dos à la
salle, puis elle referme la fenêtre, elle vient s'asseoir sur
une petite chaise au milieu de la scène, et dit doucement,
comme étrangement apaisée.*) Voilà. C'est fini pour
120 Hémon, Antigone.

ISMÈNE *est entrée, appelant.*

Antigone !... Ah, tu es là !

ANTIGONE, *sans bouger.*

Oui, je suis là.

ISMÈNE

Je ne peux pas dormir. J'avais peur que tu sortes, et
que tu tentes de l'enterrer malgré le jour. Antigone,
5 ma petite sœur, nous sommes tous là autour de toi,
Hémon, nounou et moi, et Douce, ta chienne... Nous
t'aimons et nous sommes vivants, nous, nous avons
besoin de toi. Polynice est mort et il ne t'aimait pas.
Il a toujours été un étranger pour nous, un mauvais
10 frère. Oublie-le, Antigone, comme il nous avait
oubliées. Laisse son ombre dure errer éternellement
sans sépulture, puisque c'est la loi de Créon. Ne tente
pas ce qui est au-dessus de tes forces. Tu braves tout
toujours, mais tu es toute petite, Antigone. Reste avec
15 nous, ne va pas là-bas cette nuit, je t'en supplie.

ANTIGONE *s'est levée, un étrange petit sourire
sur les lèvres, elle va vers la porte
et du seuil, doucement, elle dit.*

C'est trop tard. Ce matin, quand tu m'as rencontrée,
j'en venais.

Elle est sortie. Ismène la suit avec un cri :

ISMÈNE

Antigone !

*Dès qu'Ismène est sortie, Créon entre par
une autre porte avec son page.*

CRÉON

Un garde, dis-tu ? Un de ceux qui gardent le
20 cadavre ? Fais-le entrer.

*Le garde entre. C'est une brute. Pour le
moment il est vert de peur.*

LE GARDE *se présente au garde à vous.*

Garde Jonas, de la Deuxième Compagnie.

CRÉON

Qu'est-ce que tu veux ?

LE GARDE

Voilà, chef. On a tiré au sort pour savoir celui qui
viendrait. Et le sort est tombé sur moi. Alors, voilà,
25 chef. Je suis venu parce qu'on a pensé qu'il valait
mieux qu'il n'y en ait qu'un qui explique, et puis parce
qu'on ne pouvait pas abandonner le poste tous les trois.
On est les trois du piquet de garde, chef, autour du
cadavre.

CRÉON

30 Qu'as-tu à me dire ?

LE GARDE

On est trois, chef. Je ne suis pas tout seul. Les autres
c'est Durand et le garde de première classe Boudousse.

CRÉON

Pourquoi n'est-ce pas le première classe qui est venu ?

LE GARDE

35 N'est-ce pas, chef ? Je l'ai dit tout de suite, moi. C'est le première classe qui doit y aller. Quand il n'y a pas de gradé, c'est le première classe qui est responsable. Mais les autres ils ont dit non et ils ont voulu tirer au sort. Faut-il que j'aille chercher le première 40 classe, chef ?

CRÉON

Non. Parle, toi, puisque tu es là.

LE GARDE

J'ai dix-sept ans de service. Je suis engagé volontaire, la médaille, deux citations. Je suis bien noté, chef. Moi je suis « service ». Je ne connais que ce qui est 45 commandé. Mes supérieurs ils disent toujours : « Avec Jonas on est tranquille. »

CRÉON

C'est bon. Parle. De quoi as-tu peur ?

LE GARDE

Régulièrement ça aurait dû être le première classe. Moi je suis proposé première classe, mais je ne suis pas 50 encore promu. Je devais être promu en juin.

CRÉON

Vas-tu parler enfin ? S'il est arrivé quelque chose, vous êtes tous les trois responsables. Ne cherche plus qui devrait être là.

LE GARDE

Hé bien, voilà, chef : le cadavre... On a veillé pour- 55 tant ! On avait la relève de deux heures, la plus dure. Vous savez ce que c'est, chef, au moment où la nuit va finir. Ce plomb entre les yeux, la nuque qui tire, et puis toutes ces ombres qui bougent et le brouillard du

petit matin qui se lève... Ah ! ils ont bien choisi leur
60 heure !... On était là, on parlait, on battait la semelle...
On ne dormait pas, chef, ça on peut vous le jurer tous
les trois qu'on ne dormait pas ! D'ailleurs, avec le froid
qu'il faisait... Tout d'un coup, moi je regarde le
cadavre... On était à deux pas, mais moi je le regardais
65 de temps en temps tout de même... Je suis comme ça,
moi, chef, je suis méticuleux. C'est pour ça que mes
supérieurs ils disent : « Avec Jonas... » (*Un geste de
Créon l'arrête, il crie soudain.*) C'est moi qui l'ai vu le
premier, chef ! Les autres vous le diront, c'est moi qui
70 ai donné le premier l'alarme.

CRÉON

L'alarme ? Pourquoi ?

LE GARDE

Le cadavre, chef. Quelqu'un l'avait recouvert. Oh !
pas grand-chose. Ils n'avaient pas eu le temps avec
nous autres à côté. Seulement un peu de terre... Mais
75 assez tout de même pour le cacher aux vautours.

CRÉON *va à lui.*

Tu es sûr que ce n'est pas une bête en grattant ?

LE GARDE

Non, chef. On a d'abord espéré ça, nous aussi. Mais
la terre était jetée sur lui. Selon les rites. C'est quelqu'un qui savait ce qu'il faisait.

CRÉON

80 Qui a osé ? Qui a été assez fou pour braver ma loi ?
As-tu relevé des traces ?

LE GARDE

Rien, chef. Rien qu'un pas plus léger qu'un passage
d'oiseau. Après, en cherchant mieux, le garde Durand
a trouvé plus loin une pelle, une petite pelle d'enfant
85 toute vieille, toute rouillée. On a pensé que ça ne pouvait pas être un enfant qui avait fait le coup. Le première classe l'a gardée tout de même pour l'enquête.

CRÉON *rêve un peu.*

Un enfant... L'opposition brisée qui sourd et mine
déjà partout. Les amis de Polynice avec leur or bloqué
90 dans Thèbes, les chefs de la plèbe puant l'ail, soudaine-
ment alliés aux princes, et les prêtres essayant de
pêcher un petit quelque chose au milieu de tout cela...
Un enfant ! Ils ont dû penser que cela serait plus tou-
chant. Je le vois d'ici, leur enfant, avec sa gueule de
95 tueur appointé et la petite pelle soigneusement enve-
loppée dans du papier sous sa veste. A moins qu'ils
n'aient dressé un vrai enfant, avec des phrases... Une
innocence inestimable pour le parti. Un vrai petit garçon pâle qui crachera devant mes fusils. Un précieux
100 sang bien frais sur mes mains, double aubaine. (*Il va
à l'homme.*) Mais ils ont des complices, et dans ma
garde peut-être. Écoute bien, toi...

LE GARDE

Chef, on a fait tout ce qu'on devait faire ! Durand
s'est assis une demi-heure parce qu'il avait mal aux
105 pieds, mais moi, chef, je suis resté tout le temps debout.
Le première classe vous le dira.

CRÉON

A qui avez-vous déjà parlé de cette affaire ?

LE GARDE

A personne, chef. On a tout de suite tiré au sort et je
suis venu.

CRÉON

110 Écoute bien. Votre garde est doublée. Renvoyez la
relève. Voilà l'ordre. Je ne veux que vous près du
cadavre. Et pas un mot. Vous êtes coupables d'une
négligence, vous serez punis de toute façon, mais, si tu
parles, si le bruit court dans la ville qu'on a recouvert
115 le cadavre de Polynice, vous mourrez tous les trois.

LE GARDE *gueule.*

On n'a pas parlé, chef, je vous le jure ! Mais moi
j'étais ici et peut-être que les autres ils l'ont déjà dit

● **Le bref dialogue Ismène-Antigone** (l. 1-18) a un intérêt dramatique (révélation du geste d'Antigone) et psychologique : mise en valeur de la tendresse d'Ismène.

A remarquer l'annonce d'un thème qui sera repris plus loin par Créon : Polynice était un mauvais frère, qui n'aimait pas les siens. Il mérite la dure loi qui le condamne (l. 11) à *errer éternellement sans sépulture* (une des rares allusions à l'au-delà dans la pièce d'Anouilh ; c'est manifestement un rappel de l'origine antique de l'œuvre).

● **Créon et le garde :** nous arrivons au nœud de la tragédie.

Anouilh suit de près le texte de Sophocle : les hésitations des gardes, leur dispute, la crainte qui retient les paroles du messager sont transcrites avec fidélité, sinon à la lettre, du moins dans l'esprit du texte grec (Sophocle, *Antigone*, v. 223-331).

A peine si l'on peut noter que le garde grec est plus bavard que son homologue moderne.

L'apport d'Anouilh : le garde est d'une stupidité grossière qui n'apparaît pas chez le Grec. Le personnage de Sophocle était timoré et moralisateur, mais il ne semblait pas sot. Le garde d'Anouilh, au contraire, doit être considéré comme une caricature du militaire de carrière et du policier, au point qu'il faut ici parler d'un véritable antimilitarisme de l'auteur (on retrouve aussi l'aristocratisme que nous avons noté plus haut : voir p. 49).

① Relevez tous les procédés (mise en scène, langage) qui mettent en valeur ce point de vue.

Le thème de l'enfance reparaît dans la mention de la *petite pelle* (l. 84) trouvée sur les lieux du « forfait ». Ainsi se précise discrètement l'idée d'une révolte de l'enfance contre le monde des adultes et ses règles stupides. Nous avons là un procédé proprement symboliste.

● **Le personnage de Créon**

La grande tirade de Créon s'adressant au garde, dans le texte grec (v. 280-314), révélait un caractère violent et une mauvaise foi patente :

> *Tais-toi, n'éveille pas mon courroux par tes mots,*
> *garde de te montrer stupide autant que vieux.*
> *Tu soutiens l'impossible en disant que les dieux*
> *au sujet de ce mort prennent quelque souci.*

> . . . .

> *Mais non. Depuis longtemps irrités par l'édit,*
> *des Thébains murmuraient contre moi, secouant*
> *leurs têtes en secret, sans vouloir à leur col*
> *subir le juste joug et se soumettre à moi.*

(Trad. M. Desportes, Bordas)

② Le Créon d'Anouilh ne mentionne plus les dieux (mais seulement les louches manigances des prêtres, l. 91-92), il garde l'allusion à l'opposition, mais il paraît plus sceptique et amer que brutal et entier. Montrez-le.

à la relève... (*Il sue à grosses gouttes, il bafouille.*) Chef,
j'ai deux enfants. Il y en a un qui est tout petit. Vous
120 témoignerez pour moi que j'étais ici, chef, devant le
conseil de guerre. J'étais ici, moi, avec vous ! J'ai un
témoin ! Si on a parlé, ça sera les autres, ça ne sera pas
moi ! J'ai un témoin, moi !

CRÉON

Va vite. Si personne ne sait, tu vivras. (*Le garde sort*
125 *en courant. Créon reste un instant muet. Soudain, il*
murmure.) Un enfant... (*Il a pris le petit page par*
l'épaule.) Viens, petit. Il faut que nous allions raconter
tout cela maintenant... Et puis, la jolie besogne com-
mencera. Tu mourrais, toi, pour moi ? Tu crois que tu
130 irais avec ta petite pelle ? (*Le petit le regarde. Il sort*
avec lui, lui caressant la tête.) Oui, bien sûr, tu irais tout
de suite, toi aussi... (*On l'entend soupirer encore en*
sortant.) Un enfant...

Ils sont sortis. Le chœur entre.

LE CHŒUR

Et voilà. Maintenant le ressort est bandé. Cela n'a
plus qu'à se dérouler tout seul. C'est cela qui est commode dans la tragédie. On donne le petit coup de pouce
pour que cela démarre, rien, un regard pendant une
5 seconde à une fille qui passe et lève les bras dans la rue,
une envie d'honneur un beau matin, au réveil, comme
de quelque chose qui se mange, une question de trop
qu'on se pose un soir... C'est tout. Après, on n'a plus
qu'à laisser faire. On est tranquille. Cela roule tout
10 seul. C'est minutieux, bien huilé depuis toujours. La
mort, la trahison, le désespoir sont là, tout prêts, et les
éclats, et les orages, et les silences, tous les silences : le
silence quand le bras du bourreau se lève à la fin, le
silence au commencement quand les deux amants sont
15 nus l'un en face de l'autre pour la première fois, sans
oser bouger tout de suite, dans la chambre sombre, le
silence quand les cris de la foule éclatent autour du
vainqueur — et on dirait un film dont le son s'est
enrayé, toutes ces bouches ouvertes dont il ne sort rien,

20 toute cette clameur qui n'est qu'une image, et le vainqueur, déjà vaincu, seul au milieu de son silence...

C'est propre, la tragédie. C'est reposant, c'est sûr...
Dans le drame, avec ces traîtres, avec ces méchants
acharnés, cette innocence persécutée, ces vengeurs, ces
25 terre-neuve, ces lueurs d'espoir, cela devient épouvan-
table de mourir, comme un accident. On aurait peut-
être pu se sauver, le bon jeune homme aurait peut-être
pu arriver à temps avec les gendarmes. Dans la tragédie on est tranquille. D'abord, on est entre soi. On est
30 tous innocents en somme ! Ce n'est pas parce qu'il y en
a un qui tue et l'autre qui est tué. C'est une question
de distribution. Et puis, surtout, c'est reposant, la tragédie, parce qu'on sait qu'il n'y a plus d'espoir, le sale
espoir ; qu'on est pris, qu'on est enfin pris comme un
35 rat, avec tout le ciel sur son dos, et qu'on n'a plus qu'à
crier, — pas à gémir, non, pas à se plaindre, — à gucu-
ler à pleine voix ce qu'on avait à dire, qu'on n'avait
jamais dit et qu'on ne savait peut-être même pas
encore. Et pour rien : pour se le dire à soi, pour
40 l'apprendre, soi. Dans le drame, on se débat, parce
qu'on espère en sortir. C'est ignoble, c'est utilitaire.
Là, c'est gratuit. C'est pour les rois. Et il n'y a plus
rien à tenter, enfin !

> *Antigone est entrée, poussée par les
> gardes.*

LE CHŒUR

Alors, voilà, cela commence. La petite Antigone est
45 prise. La petite Antigone va pouvoir être elle-même
pour la première fois.

> *Le chœur disparaît, tandis que les gardes
> poussent Antigone en scène.*

LE GARDE, *qui a repris tout son aplomb.*

Allez, allez, pas d'histoires ! Vous vous expliquerez
devant le chef. Moi, je ne connais que la consigne. Ce
que vous aviez à faire là, je ne veux pas le savoir. Tout
50 le monde a des excuses, tout le monde a quelque chose
à objecter. S'il fallait écouter les gens, s'il fallait

essayer de comprendre, on serait propres. Allez, allez ! Tenez-la, vous autres, et pas d'histoires ! Moi, ce qu'elle a à dire, je ne veux pas le savoir !

ANTIGONE

55 Dis-leur de me lâcher, avec leurs sales mains. Ils me font mal.

LE GARDE

Leurs sales mains ? Vous pourriez être polie, Mademoiselle... Moi, je suis poli.

ANTIGONE

Dis-leur de me lâcher. Je suis la fille d'Œdipe, je suis 60 Antigone. Je ne me sauverai pas.

LE GARDE

La fille d'Œdipe, oui ! Les putains qu'on ramasse à la garde de nuit, elles disent aussi de se méfier, qu'elles sont la bonne amie du préfet de police !

Ils rigolent.

ANTIGONE

Je veux bien mourir, mais pas qu'ils me touchent !

LE GARDE

65 Et les cadavres, dis, et la terre, ça ne te fait pas peur à toucher ? Tu dis « leurs sales mains » ! Regarde un peu les tiennes.

Antigone regarde ses mains tenues par les menottes avec un petit sourire. Elles sont pleines de terre.

LE GARDE

On te l'avait prise, ta pelle ? Il a fallu que tu refasses ça avec tes ongles, la deuxième fois ? Ah ! cette 70 audace ! Je tourne le dos une seconde, je te [1] demande

---

1. Il se tourne vers un autre garde.

une chique, et allez, le temps de me la caler dans la joue, le temps de dire merci, elle était là, à gratter comme une petite hyène. Et en plein jour ! Et c'est qu'elle se débattait cette garce, quand j'ai voulu la
75 prendre ! C'est qu'elle voulait me sauter aux yeux ! Elle criait qu'il fallait qu'elle finisse... C'est une folle, oui !

[*Suit un dialogue familier mettant en relief la grossièreté des gardes.*]

● **Le chœur** (p. 66-67)

Ce passage (l. 1-43) est un des rares textes où Anouilh s'exprime sur l'art dramatique. Mais il ne faut pas s'y tromper : nous n'avons pas affaire ici à des considérations esthétiques, mais bien plutôt à des remarques philosophiques sur l'héroïne. Sans que l'on puisse vraiment parler d'influence, Anouilh est très proche de la pensée de Camus, au début du *Mythe de Sisyphe*, sur la prise de conscience de l'absurde : « Une question de trop qu'on se pose un soir », c'est le soupçon qui se fait jour dans l'esprit : alors plus rien ne peut être comme auparavant, le monde où l'on vivait devient inacceptable (*le Mythe de Sisyphe*, Gallimard, 1942, p. 26 et suiv.). On entre alors, selon Anouilh, dans le domaine de la tragédie ; deux voies sont ouvertes pour y parvenir : l'amour fulgurant (cf. *Eurydice*, etc.) ou le sens de la dignité humaine, ce que l'auteur nomme (l. 6) *une envie d'honneur*. (Pour comprendre ce dernier point, il faut se reporter à *Becket ou l'honneur de Dieu*, 1959, et en particulier au dialogue entre Becket et le roi.)
Dans ce monde plus pur où les héros ont découvert l'idéal — et qui est l'univers tragique selon Anouilh —, *on sait qu'il n'y a plus d'espoir, le sale espoir* (l. 33-34, à nouveau un thème camusien), car on découvre vite que la vie n'est pas possible sans perfection, mais que la mort est nécessairement entraînée par une visée hors de proportion avec la médiocre condition de l'homme.

① Vous étudierez comment le dramaturge fait ressortir la solitude et la grandeur du héros tragique ainsi défini.

Il faut noter une incontestable influence de l'*Électre* de Giraudoux (lamento du jardinier ; entracte) sur ce monologue du chœur : « On réussit chez les rois les expériences qui ne réussissent jamais chez les humbles, la haine pure, la colère pure. C'est toujours la pureté. C'est cela que c'est, la Tragédie, avec ses insectes, ses parricides : de la pureté, c'est-à-dire en somme de l'innocence. »

● **Antigone et les gardes** (l. 47-77)

② Montrez la jeunesse et la fierté d'Antigone, et, en opposition, la grossièreté stupide et vulgaire des gardes.

Créon entre, le garde gueule aussitôt.

LE GARDE

Garde à vous !

CRÉON *s'est arrêté, surpris.*

Lâchez cette jeune fille. Qu'est-ce que c'est ?

LE GARDE

C'est le piquet de garde, chef. On est venu avec les
camarades.

CRÉON

5   Qui garde le corps ?

LE GARDE

On a appelé la relève, chef.

CRÉON

Je t'avais dit de la renvoyer ! Je t'avais dit de ne
rien dire.

LE GARDE

On n'a rien dit, chef. Mais comme on a arrêté celle-là,
10 on a pensé qu'il fallait qu'on vienne. Et cette fois on
n'a pas tiré au sort. On a préféré venir tous les trois.

CRÉON

Imbéciles ! (*A Antigone.*) Où t'ont-ils arrêtée ?

LE GARDE

Près du cadavre, chef.

CRÉON

Qu'allais-tu faire près du cadavre de ton frère ? Tu
15 savais que j'avais interdit de l'approcher.

LE GARDE

Ce qu'elle faisait, chef ? C'est pour ça qu'on vous
l'amène. Elle grattait la terre avec ses mains. Elle était
en train de le recouvrir encore une fois.

CRÉON

Sais-tu bien ce que tu es en train de dire, toi ?

LE GARDE

20   Chef, vous pouvez demander aux autres. On avait
dégagé le corps à mon retour ; mais avec le soleil qui
chauffait, comme il commençait à sentir, on s'était mis
sur une petite hauteur, pas loin, pour être dans le vent.
On se disait qu'en plein jour on ne risquait rien. Pour-
25 tant on avait décidé, pour être plus sûrs, qu'il y en
aurait toujours un de nous trois qui le regarderait.
Mais à midi, en plein soleil, et puis avec l'odeur qui
montait depuis que le vent était tombé, c'était comme
un coup de massue. J'avais beau écarquiller les yeux,
30 ça tremblait comme de la gélatine, je voyais plus. Je
vais au camarade lui demander une chique pour passer
ça... Le temps que je me la cale à la joue, chef, le temps
que je lui dise merci, je me retourne : elle était là à
gratter avec ses mains. En plein jour ! Elle devait bien
35 penser qu'on ne pouvait pas ne pas la voir. Et, quand
elle a vu que je lui courais dessus, vous croyez qu'elle
s'est arrêtée, qu'elle a essayé de se sauver peut-être ?
Non. Elle a continué de toutes ses forces aussi vite
qu'elle pouvait, comme si elle ne me voyait pas arriver.
40 Et, quand je l'ai empoignée, elle se débattait comme
une diablesse, elle voulait continuer encore, elle me
criait de la laisser, que le corps n'était pas encore tout
à fait recouvert...

CRÉON, *à Antigone.*

C'est vrai ?

ANTIGONE

45   Oui, c'est vrai.

LE GARDE

On a découvert le corps, comme de juste, et puis on
a passé la relève, sans parler de rien, et on est venu
vous l'amener, chef. Voilà.

CRÉON

Et cette nuit, la première fois, c'était toi aussi ?

ANTIGONE

50   Oui. C'était moi. Avec une petite pelle de fer qui
nous servait à faire des châteaux de sable sur la plage,
pendant les vacances. C'était justement la pelle de
Polynice. Il avait gravé son nom au couteau sur le
manche. C'est pour cela que je l'ai laissée près de lui.
55 Mais ils l'ont prise. Alors, la seconde fois, j'ai dû recom-
mencer avec mes mains.

LE GARDE

On aurait dit une petite bête qui grattait. Même
qu'au premier coup d'œil, avec l'air chaud qui tremblait, le camarade dit : « Mais non, c'est une bête. »
60 « Penses-tu, je lui dis, c'est trop fin pour une bête. C'est
une fille. »

CRÉON

C'est bien. On vous demandera peut-être un rapport
tout à l'heure. Pour le moment, laissez-moi seul avec
elle. Conduis ces hommes à côté, petit[1]. Et qu'ils restent
65 au secret jusqu'à ce que je revienne les voir.

LE GARDE

Faut-il lui remettre les menottes, chef ?

CRÉON

Non.

*Les gardes sont sortis, précédés par le
petit page.
Créon et Antigone sont seuls l'un en face
de l'autre.*

CRÉON

Avais-tu parlé de ton projet à quelqu'un ?

ANTIGONE

Non.

---

1. Le petit page : voir p. 66, l, 126.

CRÉON

70   As-tu rencontré quelqu'un sur ta route ?

ANTIGONE

Non, personne.

● **Créon, Antigone et le garde** (p. 70-74)

Anouilh est ici très proche du texte de Sophocle. C'est tout le second Épisode (v. 384-450) qu'il faudrait citer ; mais quelques vers permettront d'apprécier la parenté des deux textes :

LE GARDE

Voici ce qu'il en est. Quand je fus revenu,
de ta part menacé de châtiments terribles,
nous avons balayé sur le mort la poussière
et, mettant bien à nu ce corps en pourriture,
nous nous sommes assis sur un roc, bien au vent,
pour que l'odeur du mort ne vînt pas nous atteindre,
l'un par l'autre en éveil tenu par des menaces
sitôt que l'un de nous négligeait le service.
Alors arriva l'heure où, juste au haut du ciel,
s'arrêta radieux le disque du soleil ;
l'air était comme un four, et soudain, de la terre,
aveugle, un tourbillon monte, fléau céleste,
à travers la campagne, arrachant tout feuillage
aux arbres de la plaine et les lançant au ciel ;
seuls des yeux clos tenaient sous ce divin fléau.
Quand, après un long temps, eut pris fin cet orage,
on voit la jeune fille : elle pousse, perçants,
des cris aigus d'oiseau qui découvre le vide
au cœur du nid désert où nichaient ses petits.
Apercevant le corps privé de sa poussière,
elle geint et gémit, et lance contre ceux
qui l'avaient dénudé des imprécations.
Sa main sème aussitôt de la fine poussière
et, d'un vase de bronze inclinant la beauté,
de trois libations honore le cadavre.

(V. 410-431, trad. M. Desportes, Bordas)

Anouilh s'écarte toutefois de Sophocle sur quatre points principaux (en dehors de l'affaiblissement de la grandeur épique) :

— L'absurdité du geste de la jeune fille sans les références religieuses (*une petite bête* qui grattait, l. 57).

— La stupidité grossière des gardes : ① Montrez-la.

— Le détail de *la pelle de Polynice* (l. 52) : ② Commentez ce point.

— Le calme et la douceur de Créon. ③ Quels sentiments se cachent sous ce calme et cette douceur ?

CRÉON

Tu en es bien sûre ?

ANTIGONE

Oui.

CRÉON

Alors, écoute : tu vas rentrer chez toi, te coucher,
75 dire que tu es malade, que tu n'es pas sortie depuis
hier. Ta nourrice dira comme toi. Je ferai disparaître
ces trois hommes.

ANTIGONE

Pourquoi ? Puisque vous savez bien que je recom-
mencerai.

Un silence. Ils se regardent.

[*Antigone explique son geste par la piété fraternelle, mais
Créon est frappé par son orgueil.*]

CRÉON *la regarde et murmure soudain.*

L'orgueil d'Œdipe. Tu es l'orgueil d'Œdipe. Oui,
maintenant que je l'ai retrouvé au fond de tes yeux, je
te crois. Tu as dû penser que je te ferais mourir. Et cela
te paraissait un dénouement tout naturel pour toi,
5 orgueilleuse ! Pour ton père non plus — je ne dis pas le
bonheur, il n'en était pas question — le malheur
humain, c'était trop peu. L'humain vous gêne aux
entournures dans la famille. Il vous faut un tête-à-tête
avec le destin et la mort. Et tuer votre père et coucher
10 avec votre mère et apprendre tout cela après, avidement, mot par mot. Quel breuvage, hein, les mots qui
vous condamnent ? Et comme on les boit goulûment
quand on s'appelle Œdipe, ou Antigone. Et le plus
simple après, c'est encore de se crever les yeux et d'aller
15 mendier avec ses enfants sur les routes... Eh bien ! non.
Ces temps sont révolus pour Thèbes. Thèbes a droit
maintenant à un prince sans histoire. Moi, je m'appelle
seulement Créon, Dieu merci. J'ai mes deux pieds par
terre, mes deux mains enfoncées dans mes poches et,
20 puisque je suis roi, j'ai résolu, avec moins d'ambition

que ton père, de m'employer tout simplement à rendre
l'ordre de ce monde un peu moins absurde, si c'est possible. Ce n'est même pas une aventure, c'est un métier
pour tous les jours et pas toujours drôle, comme tous
25 les métiers. Mais puisque je suis là pour le faire, je vais
le faire... Et si demain un messager [1] crasseux dévale du
fond des montagnes pour m'annoncer qu'il n'est pas très
sûr non plus de ma naissance, je le prierai tout simplement de s'en retourner d'où il vient et je ne m'en irai
30 pas pour si peu regarder ta tante sous le nez et me
mettre à confronter les dates. Les rois ont autre chose
à faire que du pathétique personnel, ma petite fille.
(*Il a été à elle, il lui prend le bras.*) Alors, écoute-moi
bien. Tu es Antigone, tu es la fille d'Œdipe, soit, mais
35 tu as vingt ans et il n'y a pas longtemps encore tout
cela se serait réglé par du pain sec et une paire de gifles.
(*Il la regarde, souriant.*) Te faire mourir ! Tu ne t'es pas
regardée, moineau ! Tu es trop maigre. Grossis un peu,
plutôt, pour faire un gros garçon à Hémon. Thèbes en
40 a besoin plus que de ta mort, je te l'assure. Tu vas rentrer chez toi tout de suite, faire ce que je t'ai dit et te
taire. Je me charge du silence des autres. Allez, va ! Et
ne me foudroie pas comme cela du regard. Tu me
prends pour une brute, c'est entendu, et tu dois penser
45 que je suis décidément bien prosaïque. Mais je t'aime
bien tout de même avec ton sale caractère. N'oublie pas
que c'est moi qui t'ai fait cadeau de ta première poupée,
il n'y a pas si longtemps.

> *Antigone ne répond pas. Elle va sortir.*
> *Il l'arrête.*

CRÉON

Antigone ! C'est par cette porte qu'on regagne ta
50 chambre. Où t'en vas-tu par là ?

> ANTIGONE *s'est arrêtée, elle lui répond*
> *doucement, sans forfanterie.*

Vous le savez bien...

> *Un silence. Ils se regardent encore, debout*
> *l'un en face de l'autre.*

---

1. Allusion à l'histoire d'Œdipe : voir p. 26.

CRÉON *murmure, comme pour lui.*

Quel jeu joues-tu ?

ANTIGONE

Je ne joue pas.

CRÉON

Tu ne comprends donc pas que, si quelqu'un d'autre
55 que ces trois brutes sait tout à l'heure ce que tu as
tenté de faire, je serai obligé de te faire mourir ? Si tu
te tais maintenant, si tu renonces à cette folie, j'ai une
chance de te sauver, mais je ne l'aurai plus dans cinq
minutes. Le comprends-tu ?

ANTIGONE

60   Il faut que j'aille enterrer mon frère que ces hommes
ont découvert.

CRÉON

Tu irais refaire ce geste absurde ? Il y a une autre
garde autour du corps de Polynice et, même si tu par-
viens à le recouvrir encore, on dégagera son cadavre,
65 tu le sais bien. Que peux-tu donc, sinon t'ensanglanter
encore les ongles et te faire prendre ?

ANTIGONE

Rien d'autre que cela, je le sais. Mais cela, du moins,
je le peux. Et il faut faire ce que l'on peut.

CRÉON

Tu y crois donc vraiment, toi, à cet enterrement dans
70 les règles ? A cette ombre de ton frère condamnée à
errer toujours si on ne jette pas sur le cadavre un peu
de terre avec la formule du prêtre ? Tu leur as déjà
entendu la réciter, aux prêtres de Thèbes, la formule ?
Tu as vu ces pauvres têtes d'employés fatigués écour-
75 tant les gestes, avalant les mots, bâclant ce mort pour
en prendre un autre avant le repas de midi ?

ANTIGONE

Oui, je les ai vus.

CRÉON

Est-ce que tu n'as jamais pensé alors que, si c'était un être que tu aimais vraiment qui était là, couché
80 dans cette boîte, tu te mettrais à hurler tout d'un coup ? A leur crier de se taire, de s'en aller ?

ANTIGONE

Si, je l'ai pensé.

CRÉON

Et tu risques la mort maintenant parce que j'ai refusé à ton frère ce passeport dérisoire, ce bre-
85 douillage en série sur sa dépouille, cette pantomime dont tu aurais été la première à avoir honte et mal si on l'avait jouée. C'est absurde !

ANTIGONE

Oui, c'est absurde.

CRÉON

Pourquoi fais-tu ce geste, alors ? Pour les autres,
90 pour ceux qui y croient ? Pour les dresser contre moi ?

ANTIGONE

Non.

CRÉON

Ni pour les autres, ni pour ton frère ? Pour qui alors ?

ANTIGONE

Pour personne. Pour moi.

CRÉON *la regarde en silence.*

95 Tu as donc bien envie de mourir ? Tu as déjà l'air d'un petit gibier pris.

ANTIGONE

Ne vous attendrissez pas sur moi. Faites comme moi. Faites ce que vous avez à faire. Mais, si vous êtes

un être humain, faites-le vite. Voilà tout ce que je
100 vous demande. Je n'aurai pas du courage éternellement, c'est vrai.

CRÉON *se rapproche.*

Je veux te sauver, Antigone.

ANTIGONE

Vous êtes le roi, vous pouvez tout, mais cela, vous
ne le pouvez pas.

CRÉON

105   Tu crois ?

ANTIGONE

Ni me sauver ni me contraindre.

CRÉON

Orgueilleuse ! Petite Œdipe !

ANTIGONE

Vous pouvez seulement me faire mourir.

CRÉON

Et si je te fais torturer ?

ANTIGONE

110   Pourquoi ? Pour que je pleure, que je demande
grâce, pour que je jure tout ce qu'on voudra, et que je
recommence après, quand je n'aurai plus mal ?

CRÉON *lui serre le bras.*

Écoute-moi bien. J'ai le mauvais rôle, c'est entendu,
et tu as le bon. Et tu le sens. Mais n'en profite tout de
115 même pas trop, petite peste... Si j'étais une bonne
brute ordinaire de tyran, il y aurait déjà longtemps
qu'on t'aurait arraché la langue, tiré les membres aux
tenailles, ou jetée dans un trou. Mais tu vois dans mes
yeux quelque chose qui hésite, tu vois que je te laisse

120 parler au lieu d'appeler mes soldats ; alors, tu nargues, tu attaques tant que tu peux. Où veux-tu en venir, petite furie ?

ANTIGONE ET CRÉON (I)

● **La grande tirade de Créon** (p. 74, l. 1-48).

Deux conceptions s'y opposent : celle d'un humanisme réaliste, refusant de tricher avec les données de l'existence, et celle d'un héroïsme tragique, à l'aise dans « un tête-à-tête avec le destin et la mort ». Une fois encore, on ne peut s'empêcher de songer à Camus : Créon est bien proche de « l'homme absurde » du *Mythe de Sisyphe* : « Si je choisis l'action, ne croyez pas que la contemplation me soit une terre inconnue — mais elle ne peut tout me donner, et privé de l'éternel, je veux m'allier au temps [...]. Je ne referai jamais les hommes. Mais il faut faire *comme si*. Car le chemin de la lutte me fait rencontrer la chair. Même humiliée, la chair est ma seule certitude [...]. Voilà pourquoi j'ai choisi cet effort absurde et sans portée. Voilà pourquoi je suis du côté de la lutte » (*Le Mythe de Sisyphe*, p. 118-119). Ainsi Rieux et Tarrou feront-ils bientôt, dans *la Peste*, de la lutte contre l'épidémie non « une aventure », mais « un métier pour tous les jours ».
Le refus du pathétique tragique ne doit donc rien à Sophocle : c'est un thème spécifiquement moderne.

① Dans la deuxième partie de la tirade, Créon met en application sa théorie : bonhomme, en un style imagé et familier (analysez les détails), il tente d'arracher Antigone à la tragédie et de la rejeter du côté de la vie. Cependant Créon se montre maladroit en tenant à sa nièce le langage paternel susceptible d'irriter le plus une adolescente : il lui rappelle sa propre jeunesse.

● **Les vraies raisons du geste d'Antigone**

Peu auparavant, Antigone, en réponse aux questions de son oncle, a déclaré : « C'était mon frère. » Créon lui démontre maintenant l'inutilité de ce geste pieux : contrairement aux personnages de Sophocle, les héros d'Anouilh ne croient pas à la valeur religieuse des rites de l'inhumation.

② Vous étudierez les anachronismes du passage et leur nette signification anticléricale.

Anouilh est ainsi amené à supprimer complètement la grande tirade de Sophocle (vers 450-470), où Antigone opposait aux lois des hommes les lois divines non écrites. L'héroïne moderne ne peut opposer à Créon que le sentiment orgueilleux d'un devoir à remplir vis-à-vis de soi-même. L'honneur lui commandait de s'opposer à l'ordre et d'inquiéter la tranquillité des hommes en se donnant à la mort.

③ Créon vous paraît-il bon psychologue ? Que pensez-vous de cette *envie de mourir* (l. 95) qu'il prétend découvrir chez Antigone ?

Jean Davy et Monelle Valentin, à l'Atelier, en 1944

CRÉON. — « Orgueilleuse ! Petite Œdipe ! » (p. 78, l. 107)

Catherine Sellers et Georges Wilson dans la tragédie de Sophocle, au T. N. P., en 1960

ANTIGONE

Lâchez-moi. Vous me faites mal au bras avec votre main.

CRÉON, *qui serre plus fort.*

125 Non. Moi, je suis le plus fort comme cela, j'en profite aussi.

[*Créon explique alors les raisons politiques qui motivent sa rigueur à l'égard de Polynice.*]

ANTIGONE

Vous êtes odieux !

CRÉON

Oui, mon petit. C'est le métier qui le veut. Ce qu'on peut discuter, c'est s'il faut le faire ou ne pas le faire. Mais, si on le fait, il faut le faire comme cela.

ANTIGONE

5 Pourquoi le faites-vous ?

CRÉON

Un matin, je me suis réveillé roi de Thèbes. Et Dieu sait si j'aimais autre chose dans la vie que d'être puissant...

ANTIGONE

Il fallait dire non, alors !

CRÉON

10 Je le pouvais. Seulement, je me suis senti tout d'un coup comme un ouvrier qui refusait un ouvrage. Cela ne m'a pas paru honnête. J'ai dit oui.

ANTIGONE

Eh bien, tant pis pour vous. Moi, je n'ai pas dit « oui » ! Qu'est-ce que vous voulez que cela me fasse, 15 à moi, votre politique, votre nécessité, vos pauvres histoires ? Moi, je veux dire « non » encore à tout ce que

je n'aime pas et je suis seul juge. Et vous, avec votre
couronne, avec vos gardes, avec votre attirail, vous
pouvez seulement me faire mourir, parce que vous
20 avez dit « oui ».

CRÉON

Écoute-moi.

ANTIGONE

Si je veux, moi, je peux ne pas vous écouter. Vous
avez dit « oui ». Je n'ai plus rien à apprendre de vous.
Pas vous. Vous êtes là à boire mes paroles. Et, si vous
25 n'appelez pas vos gardes, c'est pour m'écouter jusqu'au bout.

CRÉON

Tu m'amuses !

ANTIGONE

Non. Je vous fais peur. C'est pour cela que vous
essayez de me sauver. Ce serait tout de même plus
30 commode de garder une petite Antigone vivante et
muette dans ce palais. Vous êtes trop sensible pour
faire un bon tyran, voilà tout. Mais vous allez tout de
même me faire mourir tout à l'heure, vous le savez,
et c'est pour cela que vous avez peur. C'est laid un
35 homme qui a peur.

CRÉON, *sourdement.*

Eh bien, oui, j'ai peur d'être obligé de te faire tuer
si tu t'obstines. Et je ne le voudrais pas.

ANTIGONE

Moi, je ne suis pas obligée de faire ce que je ne
voudrais pas ! Vous n'auriez pas voulu non plus,
40 peut-être, refuser une tombe à mon frère ? Dites-le
donc, que vous ne l'auriez pas voulu ?

CRÉON

Je te l'ai dit.

ANTIGONE

Et vous l'avez fait tout de même. Et maintenant vous allez me faire tuer sans le vouloir. Et c'est cela, 45 être roi !

CRÉON

Oui, c'est cela !

ANTIGONE

Pauvre Créon ! Avec mes ongles cassés et pleins de terre et les bleus que tes gardes m'ont faits aux bras, avec ma peur qui me tord le ventre, moi je suis reine.

CRÉON

50 Alors, aie pitié de moi, vis. Le cadavre de ton frère qui pourrit sous mes fenêtres, c'est assez payé pour que l'ordre règne dans Thèbes. Mon fils t'aime. Ne m'oblige pas à payer avec toi encore. J'ai assez payé.

ANTIGONE

Non. Vous avez dit « oui ». Vous ne vous arrêterez 55 jamais de payer maintenant !

CRÉON *la secoue soudain, hors de lui.*

Mais, bon Dieu ! Essaie de comprendre une minute, toi aussi, petite idiote ! J'ai bien esssayé de te comprendre, moi. Il faut pourtant qu'il y en ait qui disent oui. Il faut pourtant qu'il y en ait qui mènent 60 la barque. Cela prend l'eau de toutes parts, c'est plein de crimes, de bêtise, de misère... Et le gouvernail est là qui ballotte. L'équipage ne veut plus rien faire, il ne pense qu'à piller la cale et les officiers sont déjà en train de se construire un petit radeau confortable, 65 rien que pour eux, avec toute la provision d'eau douce pour tirer au moins leurs os de là. Et le mât craque, et le vent siffle, et les voiles vont se déchirer, et toutes ces brutes vont crever toutes ensemble, parce qu'elles ne pensent qu'à leur peau, à leur précieuse peau et à 70 leurs petites affaires. Crois-tu alors, qu'on a le temps de faire le raffiné, de savoir s'il faut dire « oui » ou

« non », de se demander s'il ne faudra pas payer trop
cher un jour et si on pourra encore être un homme
après ? On prend le bout de bois[1], on redresse devant
75 la montagne d'eau, on gueule un ordre et on tire dans
le tas, sur le premier qui s'avance. Dans le tas ! Cela
n'a pas de nom. C'est comme la vague qui vient de
s'abattre sur le pont devant vous ; le vent qui vous
gifle, et la chose qui tombe dans le groupe n'a pas de
80 nom. C'était peut-être celui qui t'avait donné du feu
en souriant la veille. Il n'a plus de nom. Et toi non
plus, tu n'as plus de nom, cramponné à la barre. Il
n'y a plus que le bateau qui ait un nom et la tempête.
Est-ce que tu le comprends, cela ?

ANTIGONE *secoue la tête.*

85 Je ne veux pas comprendre. C'est bon pour vous.
Moi je suis là pour autre chose que pour comprendre.
Je suis là pour vous dire non et pour mourir.

CRÉON

C'est facile de dire non !

ANTIGONE

Pas toujours.

CRÉON

90 Pour dire oui, il faut suer et retrousser ses manches,
empoigner la vie à pleines mains et s'en mettre jusqu'aux coudes. C'est facile de dire non, même si on doit
mourir. Il n'y a qu'à ne pas bouger et attendre.
Attendre pour vivre, attendre même pour qu'on vous
95 tue. C'est trop lâche. C'est une invention des hommes.
Tu imagines un monde où les arbres aussi auraient dit

---

1. La barre (l. 82).

ANTIGONE ET CRÉON (II, voir p. 79)

● **L'opposition fondamentale** (p. 81 et suiv.)
La dialectique d'Anouilh est encore une fois très proche de celle de
Camus : le *non* absolu mène Antigone à la mort, le *oui* (Créon) mène
aux compromissions et aux crimes. Mais il semble qu'il n'y ait pas

ici de choix possible entre ces deux solutions extrêmes : tel est du moins le raisonnement d'Antigone.

① Montrez que l'attitude de la jeune fille exprime un véritable refus de l'existence, et que son désir de pureté est fondé sur un égoïsme foncier.

D'autre part, on peut se demander dans quelle mesure chaque personnage est libre de son choix : les héros d'Anouilh sont prédestinés (voir l'introduction, p. 19-20), et Créon nous a rappelé qu'aucune goutte de la race orgueilleuse d'Œdipe ne coule dans ses veines.

● **Le personnage de Créon** est évidemment très loin du roi brutal et orgueilleux de Sophocle. On sent chez lui un désir sincère d'aider sa nièce, et non l'entêtement borné du personnage antique. Cf. Sophocle (v. 473-483) :

> *Sache donc bien ceci : cœur qui ne sait plier*
> *est fragile entre tous, et le fer le plus dur,*
> *celui dont feu de forge a fait la robustesse,*
> *est fort souvent celui qui s'ébrèche et se brise.*
> *Je sais qu'un faible mors suffit à maîtriser*
> *des chevaux plein de fougue ; car il n'est pas permis*
> *que l'esclave d'autrui porte l'âme trop haute.*
> *Celle-ci, par orgueil, en toute connaissance,*
> *osait tantôt braver les lois de la nature,*
> *et pour surcroît d'orgueil, ayant commis le crime,*
> *elle s'en glorifie et, coupable, triomphe !*

(Trad. M. Desportes, Bordas)

② Au contraire, le Créon d'Anouilh est un homme doux, connaissant la vanité du pouvoir, mais d'une fermeté inébranlable lorsque la nécessité lui a paru s'imposer de se charger d'une tâche. Analysez avec soin en quoi consiste l'« honnêteté » pour Créon.

③ Montrez que Créon justifie son attitude par une philosophie fondée sur des considérations biologiques valables pour tous les êtres vivants. « Nous ne sommes pas très loin d'une philosophie naturelle, aussi étrangère que possible à toute métaphysique » (cf. Borgal, *op. cit.*, p. 76).

④ Comparez la dernière tirade de Créon (l. 56-84) au *Mythe de Sisyphe*.

⑤ Antigone refuse la discussion et s'enferme dans son entêtement aveugle. Faites ressortir son orgueil et tout ce que son attitude a de méprisant.

⑥ Étudiez les images dans ce passage.

⑦ Comparez le dialogue entre Antigone et Créon avec le dialogue entre Électre et Égisthe (Giraudoux, *Électre*, acte II, sc. 8) : « J'ai à sauver la ville, la Grèce », dit Égisthe. Mais il est loin d'être aussi convaincant que Créon.

non contre la sève, où les bêtes auraient dit non contre l'instinct de la chasse ou de l'amour ? Les bêtes, elles au moins, sont bonnes et simples et dures. Elles vont, 100 se poussant les unes après les autres, courageusement, sur le même chemin. Et, si elles tombent, les autres passent et il peut s'en perdre autant que l'on veut, il en restera toujours une de chaque espèce prête à refaire des petits et à reprendre le même chemin avec 105 le même courage, toute pareille à celles qui sont passées avant.

ANTIGONE

Quel rêve, hein, pour un roi, des bêtes ! Ce serait si simple.

Un silence, Créon la regarde.

CRÉON

Tu me méprises, n'est-ce pas ? *(Elle ne répond pas,* 110 *il continue comme pour lui.)* C'est drôle. Je l'ai souvent imaginé, ce dialogue avec un petit jeune homme pâle qui aurait essayé de me tuer et dont je ne pourrais rien tirer après que du mépris. Mais je ne pensais pas que ce serait avec toi et pour quelque chose d'aussi 115 bête... *(Il a pris sa tête dans ses mains. On sent qu'il est à bout de forces.)* Écoute-moi tout de même pour la dernière fois. Mon rôle n'est pas bon, mais c'est mon rôle et je vais te faire tuer. Seulement, avant, je veux que toi aussi tu sois bien sûre du tien. Tu sais pourquoi 120 tu vas mourir, Antigone ? Tu sais au bas de quelle histoire sordide tu vas signer pour toujours ton petit nom sanglant ?

ANTIGONE

Quelle histoire ?

CRÉON

Celle d'Étéocle et de Polynice, celle de tes frères. 125 Non, tu crois la savoir, tu ne la sais pas. Personne ne la sait dans Thèbes, que moi. Mais il me semble que toi, ce matin, tu as aussi le droit de l'apprendre. *(Il rêve un temps, la tête dans ses mains, accoudé sur ses*

genou. On l'entend murmurer.) Ce n'est pas bien beau,
130 tu vas voir. *(Et il commence sourdement sans regarder Antigone.)* Que te rappelles-tu de tes frères, d'abord ? Deux compagnons de jeux qui te méprisaient sans doute, qui te cassaient tes poupées, se chuchotant éternellement des mystères à l'oreille l'un de l'autre
135 pour te faire enrager ?

ANTIGONE

C'étaient des grands...

CRÉON

Après, tu as dû les admirer avec leurs premières cigarettes, leurs premiers pantalons longs ; et puis ils ont commencé à sortir le soir, à sentir l'homme, et ils
140 ne t'ont plus regardée du tout.

ANTIGONE

J'étais une fille...

CRÉON

Tu voyais bien ta mère pleurer, ton père se mettre en colère, tu entendais claquer les portes à leur retour et leurs ricanements dans les couloirs. Et ils passaient
145 devant toi, goguenards et veules, sentant le vin.

ANTIGONE

Une fois, je m'étais cachée derrière une porte, c'était le matin, nous venions de nous lever, et eux, ils rentraient. Polynice m'a vue, il était tout pâle, les yeux brillants et si beau dans son vêtement du soir !
150 Il m'a dit : « Tiens, tu es là, toi ? » Et il m'a donné une grande fleur de papier qu'il avait rapportée de sa nuit.

CRÉON

Et tu l'as conservée, n'est-ce pas, cette fleur ? Et hier, avant de t'en aller, tu as ouvert ton tiroir et tu l'as regardée, longtemps, pour te donner du courage ?

ANTIGONE *tressaille.*

155 Qui vous a dit cela ?

CRÉON

Pauvre Antigone, avec ta fleur de cotillon ! Sais-tu
qui était ton frère ?

ANTIGONE

Je savais que vous me diriez du mal de lui en tout
cas !

CRÉON

160   Un petit fêtard imbécile, un petit carnassier dur et
sans âme, une petite brute tout juste bonne à aller
plus vite que les autres avec ses voitures, à dépenser
plus d'argent dans les bars. Une fois, j'étais là, ton
père venait de lui refuser une grosse somme qu'il avait
165 perdue au jeu ; il est devenu tout pâle et il a levé le
poing en criant un mot ignoble !

ANTIGONE

Ce n'est pas vrai !

CRÉON

Son poing de brute à toute volée dans le visage de
ton père ! C'était pitoyable. Ton père était assis à sa
170 table, la tête dans ses mains. Il saignait du nez. Il
pleurait. Et, dans un coin du bureau, Polynice, rica-
nant, qui allumait une cigarette.

ANTIGONE *supplie presque maintenant.*

Ce n'est pas vrai !

CRÉON

Rappelle-toi, tu avais douze ans. Vous ne l'avez pas
175 revu pendant longtemps. C'est vrai, cela ?

ANTIGONE, *sourdement.*

Oui, c'est vrai.

CRÉON

C'était après cette dispute. Ton père n'a pas voulu
le faire juger. Il s'est engagé dans l'armée argyenne.

Et, dès qu'il a été chez les Argyens, la chasse à l'homme
180 a commencé contre ton père, contre ce vieil homme qui
ne se décidait pas à mourir, à lâcher son royaume. Les
attentats se succédaient et les tueurs que nous pre-
nions finissaient toujours par avouer qu'ils avaient
reçu de l'argent de lui. Pas seulement de lui, d'ail-
185 leurs. Car c'est cela que je veux que tu saches, les cou-
lisses de ce drame où tu brûles de jouer un rôle, la cuisine. J'ai fait faire hier des funérailles grandioses à
Étéocle. Étéocle est un héros et un saint pour Thèbes
maintenant. Tout le peuple était là. Les enfants des
190 écoles ont donné tous les sous de leur tirelire pour la
couronne ; des vieillards, faussement émus, ont magni-
fié, avec des trémolos dans la voix, le bon frère, le fils
fidèle d'Œdipe, le prince royal. Moi aussi, j'ai fait un
discours. Et tous les prêtres de Thèbes au grand
195 complet, avec la tête de circonstance. Et les honneurs
militaires... Il fallait bien. Tu penses que je ne pouvais tout de même pas m'offrir le luxe d'une crapule
dans les deux camps. Mais je vais te dire quelque
chose, à toi, quelque chose que je sais seul, quelque
200 chose d'effroyable : Étéocle, ce prix de vertu, ne valait
pas plus cher que Polynice. Le bon fils avait essayé,
lui aussi, de faire assassiner son père, le prince royal
avait décidé, lui aussi, de vendre Thèbes au plus
offrant. Oui, crois-tu que c'est drôle ? Cette trahison
205 pour laquelle le corps de Polynice est en train de
pourrir au soleil, j'ai la preuve maintenant qu'Étéocle,
qui dort dans son tombeau de marbre, se préparait,
lui aussi, à la commettre. C'est un hasard si Polynice a
réussi son coup avant lui. Nous avions affaire à deux
210 larrons en foire qui se trompaient l'un l'autre en nous
trompant et qui se sont égorgés comme deux petits
voyous qu'ils étaient, pour un règlement de comptes...
Seulement, il s'est trouvé que j'ai eu besoin de faire un
héros de l'un d'eux. Alors, j'ai fait rechercher leurs
215 cadavres au milieu des autres. On les a retrouvés
embrassés — pour la première fois de leur vie sans
doute. Ils s'étaient embrochés mutuellement, et puis
la charge de la cavalerie argyenne leur avait passé
dessus. Ils étaient en bouillie, Antigone, méconnais-
220 sables. J'ai fait ramasser un des corps, le moins abîmé

CRÉON. — « Je vais te dire à toi. Ils ne savent pas, les autres... Ils disent que c'est une sale besogne, mais, si on ne la fait pas, qui la fera ? (p. 108, l. 99-102)

Jean Davy (Créon) et Jean Mezeray (Le Page), à l'Atelier, en 1944

des deux, pour mes funérailles nationales, et j'ai donné l'ordre de laisser pourrir l'autre où il était. Je ne sais même pas lequel. Et je t'assure que cela m'est égal.

ANTIGONE ET CRÉON (III, voir p. 79 et 84)

● **Progression du dialogue :** après avoir tenté en vain de faire peur à Antigone, puis de lui montrer l'absurdité d'une attitude qui consiste à refuser la vie, Créon, très habilement, fait appel non à la raison, mais à l'orgueil de la jeune fille, en lui révélant qu'elle se déshonore si elle se mêle aux sordides histoires de ses frères (l. 120-122) : *Tu sais au bas de quelle histoire sordide tu vas signer pour toujours ton petit nom sanglant ?*

① Vous montrerez comment ce dernier argument fait peu à peu son chemin dans l'esprit d'Antigone. Vous étudierez la grande habileté du roi, qui part de l'enfance des jeunes gens pour en venir progressivement aux événements récents, encore inconnus de la jeune fille.

● **Les thèmes propres à Anouilh :**

Le « **dialogue avec un petit jeune homme pâle** » : c'est le dialogue avec le héros intransigeant, partout présent depuis les premières pièces (voir l'introduction, p. 19). Mais cette phrase (l. 110-113) préfigure plus précisément le dialogue de Becket avec le petit moine qui voulait l'assassiner (cf. Becket in *Pièces costumées*, op. cit., p. 201-206).

Le **thème du jeune débauché** apparaît fréquemment — et toujours avec les mêmes caractéristiques — dans l'œuvre d'Anouilh.

② Vous relèverez les anachronismes du texte, et vous comparerez par exemple avec *le Voyageur sans bagage* (*Pièces noires*, op. cit., p. 305-307).

Le **scepticisme :**

③ Vous relèverez toutes les attaques ironiques de Créon contre la société. Déterminez exactement le ton du texte. Cf. ce jugement de Pol Vandromme (*op. cit.*, p. 104) : « L'Antigone d'Anouilh a une sensibilité d'anarchiste. Mais l'intelligence anarchiste de la pièce, c'est Créon. Antigone a la tête gonflée d'illusions. Créon ne croit à rien. »

④ Étudiez le réalisme de ce passage.

⑤ Antigone parle peu. Vous montrerez toutefois que ses paroles sont très révélatrices des traits les plus profonds de son caractère (en particulier l'attachement à l'enfance).

*Il y a un long silence, ils ne bougent pas,
sans se regarder, puis Antigone dit
doucement :*

ANTIGONE

Pourquoi m'avez-vous raconté cela ?

Créon se lève, remet sa veste.

CRÉON

225   Valait-il mieux te laisser mourir dans cette pauvre
histoire ?

ANTIGONE

Peut-être. Moi, je croyais.

*Il y a un silence encore. Créon s'approche
d'elle.*

CRÉON

Qu'est-ce que tu vas faire maintenant ?

ANTIGONE *se lève comme une somnambule.*

Je vais remonter dans ma chambre.

CRÉON

230   Ne reste pas trop seule. Va voir Hémon, ce matin.
Marie-toi vite.

ANTIGONE, *dans un souffle.*

Oui.

CRÉON

Tu as toute ta vie devant toi. Notre discussion était
bien oiseuse, je t'assure. Tu as ce trésor, toi, encore.

ANTIGONE

235   Oui.

CRÉON

Rien d'autre ne compte. Et tu allais le gaspiller ! Je
te comprends, j'aurais fait comme toi à vingt ans. C'est

pour cela que je buvais tes paroles. J'écoutais du fond
du temps un petit Créon maigre et pâle comme toi et
240 qui ne pensait qu'à tout donner lui aussi... Marie-toi
vite, Antigone, sois heureuse. La vie n'est pas ce que tu
crois. C'est une eau que les jeunes gens laissent couler
sans le savoir, entre leurs doigts ouverts. Ferme tes
mains, ferme tes mains, vite. Retiens-la. Tu verras,
245 cela deviendra une petite chose dure et simple qu'on
grignote, assis au soleil. Ils te diront tous le contraire
parce qu'ils ont besoin de ta force et de ton élan. Ne les
écoute pas. Ne m'écoute pas quand je ferai mon pro-
chain discours devant le tombeau d'Étéocle. Ce ne sera
250 pas vrai. Rien n'est vrai que ce qu'on ne dit pas... Tu
l'apprendras toi aussi, trop tard, la vie c'est un livre
qu'on aime, c'est un enfant qui joue à vos pieds, un
outil qu'on tient bien dans sa main, un banc pour se
reposer le soir devant sa maison. Tu vas me mépriser
255 encore, mais de découvrir cela, tu verras, c'est la
consolation dérisoire de vieillir, la vie, ce n'est peut-être
tout de même que le bonheur.

ANTIGONE *murmure, le regard perdu.*

Le bonheur...

CRÉON *a un peu honte soudain.*

Un pauvre mot, hein ?

ANTIGONE, *doucement.*

260 Quel sera-t-il, mon bonheur ? Quelle femme heureuse
deviendra-t-elle, la petite Antigone ? Quelles pauvre-
tés faudra-t-il qu'elle fasse elle aussi, jour par jour,
pour arracher avec ses dents son petit lambeau de
bonheur ? Dites, à qui devra-t-elle mentir, à qui sou-
265 rire, à qui se vendre ? Qui devra-t-elle laisser mourir
en détournant le regard ?

CRÉON *hausse les épaules.*

Tu es folle, tais-toi.

ANTIGONE

Non, je ne me tairai pas ! Je veux savoir comment je
m'y prendrai, moi aussi, pour être heureuse. Tout de

270 suite, puisque c'est tout de suite qu'il faut choisir. Vous
dites que c'est si beau la vie. Je veux savoir comment
je m'y prendrai pour vivre.

CRÉON

Tu aimes Hémon ?

ANTIGONE

Oui, j'aime Hémon. J'aime un Hémon dur et jeune ;
275 un Hémon exigeant et fidèle, comme moi. Mais si votre
vie, votre bonheur doivent passer sur lui avec leur
usure, si Hémon ne doit plus pâlir quand je pâlis, s'il
ne doit plus me croire morte quand je suis en retard de
cinq minutes, s'il ne doit plus se sentir seul au monde
280 et me détester quand je ris sans qu'il sache pourquoi,
s'il doit devenir près de moi le monsieur Hémon, s'il
doit apprendre à dire « oui », lui aussi, alors je n'aime
plus Hémon !

CRÉON

Tu ne sais plus ce que tu dis. Tais-toi.

ANTIGONE

285 Si, je sais ce que je dis, mais c'est vous qui ne
m'entendez plus. Je vous parle de trop loin maintenant,
d'un royaume où vous ne pouvez plus entrer avec vos
rides, votre sagesse, votre ventre. (*Elle rit.*) Ah ! je ris,
Créon, je ris parce que je te vois à quinze ans, tout d'un
290 coup ! C'est le même air d'impuissance et de croire
qu'on peut tout. La vie t'a seulement ajouté tous ces
petits plis sur le visage et cette graisse autour de toi.

CRÉON *la secoue.*

Te tairas-tu, enfin ?

ANTIGONE

Pourquoi veux-tu me faire taire ? Parce que tu sais
295 que j'ai raison ? Tu crois que je ne lis pas dans tes yeux
que tu le sais ? Tu sais que j'ai raison, mais tu ne
l'avoueras jamais parce que tu es en train de défendre
ton bonheur en ce moment comme un os.

CRÉON

Le tien et le mien, oui, imbécile !

ANTIGONE

300 Vous me dégoûtez tous avec votre bonheur ! Avec
votre vie qu'il faut aimer coûte que coûte. On dirait

ANTIGONE ET CRÉON (IV, voir p. 79, 84 et 91)

● **Le mouvement de la scène**

La tension dramatique entre les deux personnages a progressivement décru, jusqu'à ce qu'Antigone, apparemment vaincue,
accepte de rentrer dans sa chambre, c'est-à-dire de renoncer à son
entreprise (p. 92, l. 229). Mais l'imprudent discours de Créon (que
justifie seul le soulagement d'avoir réussi à convaincre sa nièce) pré-
cipite le débat et redonne d'un coup à la scène sa tension maximum.

Le discours de Créon (l. 236-257) se compose de trois éléments
curieusement associés :

— lieux communs et banalités ;

— images poétiques ;

— propos sceptiques conformes à ce que nous savons déjà du personnage.

① Étudiez ces trois aspects. Montrez comment la scène va rebondir
sur un seul mot (l. 257) : *bonheur.*

● **La Sauvage et Antigone**

a) C'est alors qu'on voit à quel point le personnage de Polynice est
secondaire ; ce frère n'a été pour Antigone qu'un prétexte, un
moyen de refuser la vie en sauvegardant l'honneur. Mais, en fait,
elle veut tourner le dos à l'existence et au temps et refuser
de compromettre la pureté dont elle rêve. Idéaliste, elle refuse le
bonheur parce que c'est un mot trop humain, indigne de l'idée
qu'elle en a.

b) On trouve le même refus dans *la Sauvage* (*Pièces noires*),
au point qu'Anouilh reprend (l. 300) une phrase déjà prononcée par
Thérèse (*La Sauvage*, op. cit., p. 207) : « Vous me dégoûtez tous
avec votre bonheur ! » On peut toutefois remarquer que Thérèse
est plus morbide, et Antigone plus avide d'absolu.

② Vous comparerez avec soin les deux personnages.

c) Il est d'autant plus remarquable de constater que la Sauvage
reste invaincue, alors qu'Antigone a été troublée par Créon (voir
l'Introduction, p. 23). Cf. Pol Vandromme (*op. cit.*, p. 101) : « Créon
n'a pas vaincu Antigone, mais il l'a désarçonnée. Au lieu du Florent
qui errait autour d'elle comme un ballon captif [...], la Sauvage a
obtenu de J. A. un partenaire qui la disputait enfin à son enfance,
qui la menait devant les portes du monde redouté. »

③ Étudiez la valeur du tutoiement dans les paroles d'Antigone.

des chiens qui lèchent tout ce qu'ils trouvent. Et cette
petite chance pour tous les jours, si on n'est pas trop
exigeant. Moi, je veux tout, tout de suite, — et que ce
305 soit entier — ou alors je refuse ! Je ne veux pas être
modeste, moi, et me contenter d'un petit morceau si
j'ai été bien sage. Je veux être sûre de tout aujourd'hui
et que cela soit aussi beau que quand j'étais petite —
ou mourir.

CRÉON

310   Allez, commence, commence, comme ton père !

ANTIGONE

Comme mon père, oui ! Nous sommes de ceux qui
posent les questions jusqu'au bout. Jusqu'à ce qu'il ne
reste vraiment plus la petite chance d'espoir vivante,
la plus petite chance d'espoir à étrangler. Nous sommes
315 de ceux qui lui sautent dessus quand ils le rencontrent,
votre espoir, votre cher espoir, votre sale espoir !

CRÉON

Tais-toi ! Si tu te voyais criant ces mots, tu es laide.

ANTIGONE

Oui, je suis laide ! C'est ignoble, n'est-ce pas, ces cris,
ces sursauts, cette lutte de chiffonniers. Papa n'est
320 devenu beau qu'après, quand il a été bien sûr, enfin,
qu'il avait tué son père, que c'était bien avec sa mère
qu'il avait couché, et que rien, plus rien, ne pouvait le
sauver. Alors, il s'est calmé tout d'un coup, il a eu
comme un sourire, et il est devenu beau. C'était fini.
325 Il n'a plus eu qu'à fermer les yeux pour ne plus vous
voir ! Ah ! vos têtes, vos pauvres têtes de candidats au
bonheur ! C'est vous qui êtes laids, même les plus
beaux. Vous avez tous quelque chose de laid au coin de
l'œil ou de la bouche. Tu l'as bien dit tout à l'heure,
330 Créon, la cuisine [1]. Vous avez des têtes de cuisiniers !

CRÉON *lui broie le bras.*

Je t'ordonne de te taire maintenant, tu entends ?

---

1. Voir p. 89, l. 186.

ANTIGONE

Tu m'ordonnes, cuisinier ? Tu crois que tu peux m'ordonner quelque chose ?

CRÉON

L'antichambre est pleine de monde. Tu veux donc
335 te perdre ? On va t'entendre.

ANTIGONE

Eh bien, ouvre les portes. Justement, ils vont m'entendre !

CRÉON, *qui essaie*
de lui fermer la bouche de force.

Vas-tu te taire, enfin, bon Dieu ?

ANTIGONE *se débat.*

Allons, vite, cuisinier ! Appelle tes gardes !
La porte s'ouvre. Entre Ismène.

ISMÈNE, *dans un cri.*

Antigone !

ANTIGONE

Qu'est-ce que tu veux, toi aussi ?

ISMÈNE

Antigone, pardon ! Antigone, tu vois, je viens, j'ai du courage. J'irai maintenant avec toi.

ANTIGONE

5 Où iras-tu avec moi ?

ISMÈNE

Si vous la faites mourir, il faudra me faire mourir avec elle !

ANTIGONE

Ah ! non. Pas maintenant. Pas toi ! C'est moi, c'est
moi seule. Tu ne te figures pas que tu vas venir mourir
10 avec moi maintenant. Ce serait trop facile !

ISMÈNE

Je ne veux pas vivre si tu meurs, je ne veux pas
rester sans toi !

ANTIGONE

Tu as choisi la vie et moi la mort. Laisse-moi maintenant avec tes jérémiades. Il fallait y aller ce matin,
15 à quatre pattes, dans la nuit. Il fallait aller gratter la
terre avec tes ongles pendant qu'ils étaient tout près
et te faire empoigner par eux comme une voleuse !

ISMÈNE

Eh bien, j'irai demain !

ANTIGONE

Tu l'entends, Créon ? Elle aussi. Qui sait si cela ne
20 va pas prendre à d'autres encore, en m'écoutant ?
Qu'est-ce que tu attends pour me faire taire ? Qu'est-ce
que tu attends pour appeler tes gardes ? Allons, Créon,
un peu de courage, ce n'est qu'un mauvais moment à
passer. Allons, cuisinier, puisqu'il le faut !

CRÉON *crie soudain.*

25 Gardes !

Les gardes apparaissent aussitôt.

CRÉON

Emmenez-la.

ANTIGONE, *dans un grand cri soulagé.*
Enfin, Créon !

*Les gardes se jettent sur elle et l'em-
mènent. Ismène sort en criant derrière elle.*

ISMÈNE

Antigone ! Antigone !

> *Créon est resté seul, le chœur entre et va à lui.*

LE CHŒUR

Tu es fou, Créon, Qu'as-tu fait ?

CRÉON, *qui regarde au loin devant lui.*

30   Il fallait qu'elle meure.

LE CHŒUR

Ne laisse pas mourir Antigone, Créon ! Nous allons tous porter cette plaie au côté, pendant des siècles.

CRÉON

C'est elle qui voulait mourir. Aucun de nous n'était assez fort pour la décider à vivre. Je le comprends
35 maintenant. Antigone était faite pour être morte. Elle-même ne le savait peut-être pas, mais Polynice n'était qu'un prétexte. Quand elle a dû y renoncer, elle a trouvé autre chose tout de suite. Ce qui importait pour elle, c'était de refuser et de mourir.

LE CHŒUR

40   C'est une enfant, Créon.

CRÉON

Que veux-tu que je fasse pour elle ? La condamner à vivre ?

HÉMON *entre en criant.*

Père !

CRÉON *court à lui, l'embrasse.*

Oublie-la, Hémon ; oublie-la, mon petit.

HÉMON

45   Tu es fou, père. Lâche-moi.

CRÉON *le tient plus fort.*

J'ai tout essayé pour la sauver, Hémon. J'ai tout essayé, je te le jure. Elle ne t'aime pas. Elle aurait pu vivre. Elle a préféré sa folie et la mort.

HÉMON *crie,*
tentant de s'arracher à son étreinte.

Mais, père, tu vois bien qu'ils l'emmènent ! Père,
50 ne laisse pas ces hommes l'emmener !

CRÉON

Elle a parlé maintenant. Tout Thèbes sait ce qu'elle a fait. Je suis obligé de la faire mourir.

HÉMON *s'arrache de ses bras.*

Lâche-moi !

> *Un silence. Ils sont l'un en face de l'autre.*
> *Ils se regardent.*

LE CHŒUR *s'approche.*

Est-ce qu'on ne peut pas imaginer quelque chose,
55 dire qu'elle est folle, l'enfermer ?

CRÉON

Ils diront que ce n'est pas vrai. Que je la sauve parce qu'elle allait être la femme de mon fils. Je ne peux pas.

LE CHŒUR

Est-ce qu'on ne peut pas gagner du temps, la faire
60 fuir demain ?

CRÉON

La foule sait déjà, elle hurle autour du palais. Je ne peux pas.

HÉMON

Père, la foule n'est rien. Tu es le maître.

CRÉON

Je suis le maître avant la loi. Plus après.

HÉMON

65   Père, je suis ton fils, tu ne peux pas me la laisser prendre.

CRÉON

Si, Hémon. Si, mon petit. Du courage. Antigone ne peut plus vivre. Antigone nous a déjà quittés tous.

HÉMON

Crois-tu que je pourrai vivre, moi, sans elle ? Crois-
70 tu que je l'accepterai, votre vie ? Et tous les jours, depuis le matin jusqu'au soir, sans elle. Et votre agitation, votre bavardage, votre vide, sans elle.

CRÉON

Il faudra bien que tu acceptes, Hémon. Chacun de nous a un jour, plus ou moins triste, plus ou moins
75 lointain, où il doit enfin accepter d'être un homme. Pour toi, c'est aujourd'hui... Et te voilà devant moi avec ces larmes au bord de tes yeux et ton cœur qui te fait mal — mon petit garçon, pour la dernière fois... Quand tu te seras détourné, quand tu auras franchi ce
80 seuil tout à l'heure, ce sera fini.

HÉMON *recule un peu et dit doucement.*

C'est déjà fini.

CRÉON

Ne me juge pas, Hémon. Ne me juge pas, toi aussi.

HÉMON *le regarde et dit soudain.*

Cette grande force et ce courage, ce dieu géant qui m'enlevait dans ses bras et me sauvait des monstres
85 et des ombres, c'était toi ? Cette odeur défendue et ce bon pain du soir sous la lampe, quand tu me montrais des livres dans ton bureau, c'était toi, tu crois ?

CRÉON, *humblement.*

Oui, Hémon.

HÉMON

Tous ces soins, tout cet orgueil, tous ces livres
90 pleins de héros, c'était donc pour en arriver là ? Être
un homme, comme tu dis, et trop heureux de vivre ?

CRÉON

Oui, Hémon.

HÉMON *crie soudain comme un enfant
se jetant dans ses bras.*

Père, ce n'est pas vrai ! Ce n'est pas toi, ce n'est pas
aujourd'hui ? Nous ne sommes pas tous les deux au
95 pied de ce mur où il faut seulement dire oui. Tu es
encore puissant, toi, comme lorsque j'étais petit. Ah !
je t'en supplie, père, que je t'admire, que je t'admire
encore ! Je suis trop seul et le monde est trop nu si je
ne peux plus t'admirer.

CRÉON *le détache de lui.*

100 On est tout seul, Hémon. Le monde est nu. Et tu
m'as admiré trop longtemps. Regarde-moi, c'est cela
devenir un homme, voir le visage de son père en face,
un jour.

HÉMON *le regarde, puis recule en criant.*

Antigone ! Antigone ! Au secours !

Il est sorti en courant.

LE CHŒUR *va à Créon.*

105 Créon, il est sorti comme un fou.

CRÉON, *qui regarde au loin,
droit devant lui, immobile.*

Oui. Pauvre petit, il l'aime.

● **Antigone et Ismène** (p. 98-99, l. 1-32)

Le texte d'Anouilh se rapproche de celui de Sophocle, au point d'en être parfois la traduction. Lisez les vers 531-581. Par exemple (traduction Marcel Desportes) :

ISMÈNE

Cet ouvrage est le mien, si ma sœur y consent ;
et je porte ma part du poids de cette faute.

ANTIGONE

C'est bien ce que Dikè ne te permettra pas :
tu refusas ton aide, et j'agis toute seule.

ISMÈNE

Oui, mais, si ton malheur ne te vient que de toi,
je veux à tes côtés traverser cette épreuve.

ANTIGONE

L'Hadès et ceux d'en bas savent qui fit l'ouvrage ;
je n'aime pas l'amour qui n'aime qu'en paroles.

ISMÈNE

O ma sœur, ne va pas me priver de l'honneur
de mourir avec toi pour honorer le mort.

ANTIGONE

Laisse-moi mourir seule : où tu ne fus pour rien,
ne prends rien. A la Mort il suffira de moi.

Le vers 555, en particulier, est traduit par Anouilh :

Σύ μὲν γὰρ εἵλου ζῆν, ἐγὼ δὲ κατθανεῖν.

Tu as choisi la vie et moi la mort (p. 98, l. 13). Mais l'Antigone moderne, si elle se montre ici aussi orgueilleuse que l'antique, tire du dévouement d'Ismène une conséquence qui ne figurait pas chez Sophocle : l'héroïsme est communicatif. *Qui sait si cela ne va pas prendre à d'autres encore ?* (l. 19-20). L'idée apparaît dans l'*Électre* de Giraudoux (I, 4), du danger que présentent les êtres exceptionnels pour une société stable.

① Vous étudierez le réalisme et la familiarité du langage d'Antigone.

● **Créon et le chœur**

Créon devient de plus en plus le porte-parole de l'auteur. Il tire la leçon des événements, soulignant leur fatalité ; il note en particulier le déterminisme qui menait Antigone au refus de la vie, quels que fussent les événements.

● **Créon et Hémon**

② Vous étudierez la jeunesse du personnage d'Hémon.
Anouilh est très loin de la figure noble, hardie et vigoureuse du personnage antique. Hémon se ressent, dans l'œuvre moderne, des découvertes de la psychanalyse sur les rapports du père et du fils (étudiez cet aspect) ; et il est destiné à mettre en valeur, comme Antigone, le thème du refus de l'existence chez l'adolescent. Dans cette scène, le dernier mot est un appel au secours (l. 104), alors que, chez Sophocle, c'est un cri de colère et de malédiction (vers 762-765).

LE CHŒUR

Créon, il faut faire quelque chose.

CRÉON

Je ne peux plus rien.

LE CHŒUR

Il est parti, touché à mort.

CRÉON, *sourdement.*

110   Oui, nous sommes tous touchés à mort.

> *Antigone entre dans la pièce, poussée par
> les gardes qui s'arc-boutent contre la porte,
> derrière laquelle on devine la foule hurlante.*

LE GARDE

Chef, ils envahissent le palais !

ANTIGONE

Créon, je ne veux plus voir leurs visages, je ne veux
plus entendre leurs cris, je ne veux plus voir personne ! Tu as ma mort maintenant, c'est assez. Fais
5 que je ne voie plus personne jusqu'à ce que ce soit fini.

[*Suit un dialogue entre Antigone et le garde, mettant en
évidence la grossièreté et la sottise de ce dernier.*]

ANTIGONE

Tu crois qu'on a mal pour mourir ?

LE GARDE

Je ne peux pas vous dire. Pendant la guerre, ceux
qui étaient touchés au ventre, ils avaient mal. Moi, je
n'ai jamais été blessé. Et, d'un sens, ça m'a nui pour
10 l'avancement.

ANTIGONE

Comment vont-ils me faire mourir ?

LE GARDE

Je ne sais pas. Je crois que j'ai entendu dire que, pour
ne pas souiller la ville de votre sang, ils allaient vous
murer dans un trou.

ANTIGONE

15 Vivante ?

LE GARDE

Oui, d'abord.

> *Un silence. Le garde se fait une chique.*

ANTIGONE

O tombeau ! O lit nuptial ! O ma demeure souterraine !... (*Elle est toute petite au milieu de la grande
pièce nue. On dirait qu'elle a un peu froid. Elle s'entoure*
20 *de ses bras. Elle murmure.*) Toute seule...

LE GARDE, *qui a fini sa chique.*

Aux cavernes de Hadès, aux portes de la ville. En
plein soleil. Une drôle de corvée encore pour ceux qui
seront de faction. Il avait d'abord été question d'y
mettre l'armée. Mais, aux dernières nouvelles, il
25 paraît que c'est encore la garde qui fournira les piquets.
Elle a bon dos, la garde ! Étonnez-vous après qu'il
existe une jalousie entre le garde et le sergent d'active.

ANTIGONE *murmure, soudain lasse.*

Deux bêtes...

LE GARDE

Quoi, deux bêtes ?

ANTIGONE

30 Des bêtes se serreraient l'une contre l'autre pour se
faire chaud. Je suis toute seule.

[*Antigone confie au garde un message pour Hémon :
« Sans la petite Antigone, vous auriez tous été bien tranquilles. » Le garde accepte la mission en échange d'une
bague.*]

> *A ce moment, la porte s'ouvre. Les autres
> gardes paraissent. Antigone se lève, les
> regarde, regarde le premier garde qui s'est
> dressé derrière elle, il empoche la bague et
> range le carnet, l'air important... Il voit
> le regard d'Antigone. Il gueule pour se
> donner une contenance.*

LE GARDE

Allez ! pas d'histoires !

> *Antigone a un pauvre sourire. Elle baisse
> la tête. Elle s'en va sans un mot vers les
> autres gardes. Ils sortent tous.*

LE CHŒUR *entre soudain.*

Là ! C'est fini pour Antigone[1]. Maintenant, le tour
de Créon approche. Il va falloir qu'ils y passent tous.

LE MESSAGER *fait irruption, criant.*

35   La reine ? où est la reine ?

LE CHŒUR

Que lui veux-tu ? Qu'as-tu à lui apprendre ?

LE MESSAGER

Une terrible nouvelle. On venait de jeter Antigone
dans son trou. On n'avait pas encore fini de rouler les
derniers blocs de pierre lorsque Créon et tous ceux qui
40 l'entourent entendent des plaintes qui sortent soudain
du tombeau. Chacun se tait et écoute, car ce n'est pas
la voix d'Antigone. C'est une plainte nouvelle qui
sort des profondeurs du trou... Tous regardent Créon,
et lui qui a deviné le premier, lui qui sait déjà avant
45 tous les autres, hurle soudain comme un fou : « Enlevez
les pierres ! Enlevez les pierres ! » Les esclaves se jettent
sur les blocs entassés et, parmi eux, le roi suant, dont
les mains saignent. Les pierres bougent enfin et le plus
mince se glisse dans l'ouverture. Antigone est au fond
50 de la tombe pendue aux fils de sa ceinture, des fils

---

1. Voir ce qu'a dit Antigone, p. 60, l. 119-120.

bleus, des fils verts, des fils rouges qui lui font comme
un collier d'enfant, et Hémon à genoux qui la tient dans
ses bras et gémit, le visage enfoui dans sa robe. On
bouge un bloc encore et Créon peut enfin descendre.
55 On voit ses cheveux blancs dans l'ombre, au fond du
trou. Il essaie de relever Hémon, il le supplie. Hémon
ne l'entend pas. Puis soudain il se dresse, les yeux
noirs, et il n'a jamais tant ressemblé au petit garçon
d'autrefois, il regarde son père sans rien dire, une
60 minute, et, tout à coup, il lui crache au visage, et tire
son épée. Créon a bondi hors de portée. Alors Hémon
le regarde avec ses yeux d'enfant, lourds de mépris,
et Créon ne peut pas éviter ce regard comme la lame.
Hémon regarde ce vieil homme tremblant à l'autre
65 bout de la caverne et, sans rien dire, il se plonge l'épée
dans le ventre et il s'étend contre Antigone, l'embras-
sant dans une immense flaque rouge.

CRÉON *entre avec son page*.

Je les ai fait coucher l'un près de l'autre, enfin ! Ils
sont lavés, maintenant, reposés. Ils sont seulement un
70 peu pâles, mais si calmes. Deux amants au lendemain
de la première nuit. Ils ont fini, eux.

LE CHŒUR

Pas toi, Créon. Il te reste encore quelque chose à
apprendre. Eurydice, la reine, ta femme...

CRÉON

Une bonne femme parlant toujours de son jardin, de
75 ses confitures, de ses tricots, de ses éternels tricots
pour les pauvres. C'est drôle comme les pauvres ont
éternellement besoin de tricots. On dirait qu'ils n'ont
besoin que de tricots...

LE CHŒUR

Les pauvres de Thèbes auront froid cet hiver, Créon.
80 En apprenant la mort de son fils, la reine a posé ses
aiguilles, sagement, après avoir terminé son rang,
posément, comme tout ce qu'elle fait, un peu plus tranquillement peut-être que d'habitude. Et puis elle est

passée dans sa chambre, sa chambre à l'odeur de
85 lavande, aux petits napperons brodés et aux cadres
de peluche, pour s'y couper la gorge, Créon. Elle est
étendue maintenant sur un des petits lits jumeaux
démodés, à la même place où tu l'as vue jeune fille un
soir, et avec le même sourire, à peine un peu plus triste.
90 Et, s'il n'y avait pas cette large tache rouge sur les
linges autour de son cou, on pourrait croire qu'elle dort.

CRÉON

Elle aussi. Ils dorment tous. C'est bien. La journée
a été rude. (*Un temps. Il dit sourdement :*) Cela doit être
bon de dormir.

LE CHŒUR

95   Et tu es tout seul maintenant, Créon.

CRÉON

Tout seul, oui. (*Un silence. Il pose sa main sur
l'épaule de son page.*) Petit...

LE PAGE

Monsieur ?

CRÉON

Je vais te dire à toi. Ils ne savent pas, les autres ; on
100 est là, devant l'ouvrage, on ne peut pourtant pas se
croiser les bras. Ils disent que c'est une sale besogne,
mais, si on ne la fait pas, qui la fera ?

LE PAGE

Je ne sais pas, monsieur.

CRÉON

Bien sûr, tu ne sais pas. Tu en as de la chance ! Ce
105 qu'il faudrait, c'est ne jamais savoir. Il te tarde d'être
grand, toi ?

LE PAGE

Oh, oui, monsieur !

CRÉON

Tu es fou, petit. Il faudrait ne jamais devenir
grand. (*L'heure sonne au loin, il murmure.*) Cinq heures.
110 Qu'est-ce que nous avons aujourd'hui à cinq heures ?

LES DERNIÈRES SCÈNES DE LA PIÈCE (p. 104-110)

● **Faiblesse d'Antigone**

Une fois sa décision prise, Antigone échappe au tragique et rede-
vient une tendre jeune fille, comme dans Sophocle. Toutefois,
Anouilh tient à marquer son originalité avec beaucoup de force :
les plaintes de l'héroïne sont traduites du vers 891 de la pièce
antique :

Ὦ τύμβος, ὦ νυμφεῖον, ὦ κατασκαφής οἴκησις

« O tombeau ! ô lit nuptial ! ô ma demeure souterraine !... » (trad.
P. Mazon).

Mais c'est pour mieux marquer le désespoir de l'Antigone moderne.
Remplaçant la longue tirade (vers 892-928) où Antigone justifie
son acte en se référant aux dieux et à sa famille, la ponctuation, la
mise en scène (étudiez-la) et deux petits mots soulignent la solitude
angoissante qui précède la mort désormais fatale. Contrairement
aux héros antiques, les héros d'Anouilh vivent et meurent seuls,
sans la consolation religieuse.

● **La désacralisation du mythe** est accentuée par les paroles du
messager (l. 37-67). Si le récit de la mort d'Antigone et Hémon est
très proche de la pièce antique (cf. Sophocle, v. 1192-1243), il n'est
pas précédé, comme chez Sophocle (et Cocteau), de l'intervention de
Tirésias, qui donnait à la catastrophe sa signification religieuse.

● **Eurydice,** une « femme qui n'ignore pas le malheur » (v. 1191 dans
la pièce de Sophocle), est dépourvue chez Anouilh de la grandeur
antique.

① Comment est-elle dépeinte ?

● **La réaction de Créon** est, chez Anouilh, opposée à celle du héros de
Sophocle. Loin d'être écrasé, le héros moderne réagit avec le courage tranquille et sans illusions qui fait de lui le grand vainqueur
de la pièce.

② Analysez le personnage de ce point de vue.
Sans doute Créon regrette-t-il l'enfance et ses illusions, mais il sait
qu'il faut vivre malgré tout. Plus tard (cf. *l'Hurluberlu*), Anouilh
invitera les enfants à souhaiter une maturité qui sans doute fait
renoncer à l'idéal, mais qui donne à l'homme toute sa grandeur.

③ Le chœur souligne, pour terminer, l'absurdité de l'histoire et
l'indifférence d'une masse aveugle. Comparez ce thème à l'incons-
cience de la foule telle qu'elle sera bientôt dépeinte dans *la Peste*
de Camus.

LE PAGE

Conseil, monsieur.

CRÉON

Eh bien, si nous avons conseil, petit, nous allons y aller.

Ils sortent, Créon s'appuyant sur le page.

LE CHŒUR *s'avance.*

Et voilà. Sans la petite Antigone, c'est vrai, ils
115 auraient tous été bien tranquilles. Mais maintenant,
c'est fini. Ils sont tout de même tranquilles. Tous ceux
qui avaient à mourir sont morts. Ceux qui croyaient
une chose, et puis ceux qui croyaient le contraire —
même ceux qui ne croyaient rien et qui se sont trouvés
120 pris dans l'histoire sans y rien comprendre. Morts
pareils, tous, bien raides, bien inutiles, bien pourris.
Et ceux qui vivent encore vont commencer tout doucement à les oublier et à confondre leurs noms. C'est
fini. Antigone est calmée maintenant, nous ne saurons
125 jamais de quelle fièvre. Son devoir lui est remis. Un
grand apaisement triste tombe sur Thèbes et sur le
palais vide où Créon va commencer à attendre la mort.

*Pendant qu'il parlait, les gardes sont
entrés. Ils se sont installés sur un banc,
leur litre de rouge à côté d'eux, leur chapeau
sur la nuque, et ils ont commencé une partie
de cartes.*

LE CHŒUR

Il ne reste plus que les gardes. Eux, tout ça, cela leur
est égal ; c'est pas leurs oignons. Ils continuent à jouer
130 aux cartes...

*Le rideau tombe rapidement pendant que
les gardes abattent leurs atouts.*

FIN DE « ANTIGONE ».

ÉTUDE D' « ANTIGONE »

LE MOUVEMENT DE LA PIÈCE

Jean Anouilh est un dramaturge parfaitement maître de ses moyens d'expression. La composition de sa « tragédie », apparemment calquée sur le plan de la pièce de Sophocle, obéit en réalité à un mouvement plus profond qui lui donne tout son sens.

Sophocle et Anouilh. Comme dans le modèle antique, Antigone ensevelit Polynice malgré les avis d'Ismène, elle brave Créon, et le roi ordonne son supplice. La pièce s'achève par un retournement imprévu : la mort d'Hémon et d'Eurydice répond à la mort de la jeune fille.

Mais, dans le détail, le découpage des scènes, sensible malgré l'absence de toute indication typographique, met déjà en relief l'originalité d'Anouilh. On peut ainsi confronter la pièce moderne et la pièce antique :

1. Exposition :

ANOUILH (p. 40-60)	SOPHOCLE (v. 1-222)
a) Antigone et la nourrice.	*a*) Antigone et Ismène.
b) Antigone et Ismène.	*b*) Le chœur.
c) Antigone et la nourrice.	*c*) Monologue de Créon.
d) Antigone et Hémon.	
e) Antigone et Ismène.	

Remarques : Anouilh crée le personnage de la nourrice, il met en scène le personnage d'Hémon : la sensibilité et la jeunesse d'Antigone sont ainsi soulignées sans ambiguïté. D'autre part, chez Sophocle, le dialogue entre Antigone et Ismène précède le geste pieux à l'égard du cadavre de Polynice. Au contraire, chez Anouilh, dès le début Antigone est retranchée du monde, très loin de ceux qui l'entourent : elle appartient déjà à l'univers tragique tel que le définit l'auteur, du côté du pathétique et de la mort.

Enfin le chœur, chez Sophocle, donne au drame l'arrière-plan mythique qui n'apparaît pas dans les premières pages d'Anouilh.

2. Le ressort du drame :

ANOUILH (p. 61-72)	SOPHOCLE (v. 223-443)
a) Créon et le garde.	*a)* Créon et le garde.
b) Le chœur.	*b)* Le chœur.
c) Les gardes et Antigone.	*c)* Créon et le garde.
d) Créon, le garde, Antigone.	

Remarques : Le chœur introduit, dans la tragédie de Sophocle, une méditation sur l'homme et sur la nécessité d'une morale civique et religieuse, alors que, chez Anouilh, il évoque la fatalité dans l'univers tragique.

D'autre part, Anouilh insère une scène nouvelle dans laquelle Antigone est en butte à la grossièreté et à la brutalité des gardes : ce dégoût pour le peuple, lorsqu'un semblant d'autorité lui permet d'étaler sa sottise et sa cruauté inconsciente, est un élément bien particulier à notre auteur.

3. Le nœud :

ANOUILH (p. 72-99)	SOPHOCLE (v. 444-630)
a) Dialogue Créon-Antigone (avec intervention finale d'Ismène).	*a)* Créon et Antigone.
	b) Créon, Antigone, Ismène.
b) Créon et le chœur.	*c)* Le chœur.

Remarques : Le dialogue entre Créon et Antigone est, bien plus chez Anouilh que chez Sophocle, le centre de la tragédie (voir plus loin).

D'autre part, la modestie de l'intervention du chœur souligne la désacralisation du drame. Le chœur antique laissait déjà prévoir le dénouement et sa signification profonde en évoquant les désastres qui s'abattent sur les hommes orgueilleux qui veulent vivre au-delà du bien et du mal.

4. Le dénouement :

ANOUILH (p, 99-110)	SOPHOCLE (v. 631-1353)
a) Créon et Hémon.	*a)* Créon et Hémon.
b) Antigone et le garde.	*b)* Plaintes lyriques d'Antigone.
c) Le messager.	*c)* Le chœur.
d) Créon et le page.	*d)* Intervention de Tirésias.
	e) Le messager.
	f) Créon et le page.

Remarques : La pièce d'Anouilh est à peu près terminée après la décision de Créon. Au contraire, la tragédie de Sophocle n'en est qu'à la moitié de son déroulement : mais les passages lyriques sont bien plus importants dans la seconde moitié que dans la première. Ils servent en effet à marquer le sens religieux du drame d'Antigone. Après la jeune fille, après le chœur, Tirésias et même le messager donnent au dénouement toute la valeur exemplaire d'un châtiment longuement annoncé, mais toujours méprisé jusqu'à ce qu'enfin il s'abatte, réduisant à rien l'orgueil et les forces du roi. Cet aspect n'intéresse pas Anouilh, et nous verrons même que la « morale » de son œuvre est à l'opposé de celle de Sophocle.

Le mouvement profond de la « tragédie » d'Anouilh. En fait, on ne peut comprendre l'intérêt de l'œuvre d'Anouilh que si l'on conçoit l'importance du pivot autour duquel s'organise la pièce ; il s'agit d'un simple mot prononcé par Créon et repris par Antigone, *le regard perdu* (p. 93, l. 257-258) : **Le bonheur...**

De ce point de vue, on peut diviser la pièce en trois parties :

1. Durant les scènes qui précèdent le dialogue avec Créon, Antigone rompt les unes après les autres les chaînes qui l'attachaient à son humble bonheur quotidien. C'est ce qui explique l'importance du dialogue avec la nourrice, avec Ismène, et avec Hémon.

2. Durant la première partie du dialogue avec Créon, le roi enlève peu à peu toute apparence raisonnable aux arguments rationnels de la jeune fille. Mais, prononçant le mot de *bonheur*, il touche à la raison profonde du refus d'Antigone.

3. Antigone, se découvrant enfin, justifie son geste par un refus du temps et de l'existence, qui peut être considéré comme une forme de suicide. Le dialogue avec Créon fait donc comprendre à la jeune fille — et au spectateur — que les honneurs rendus au cadavre de Polynice ne sont qu'un prétexte, de même que le mythe d'Antigone n'est pour Anouilh qu'une occasion de plus pour faire s'affronter l'aspiration à la pureté, qui anime l'adolescent, avec la nécessité des compromissions quotidiennes.

LES PERSONNAGES DANS L'ŒUVRE D'ANOUILH

Eurydice, épouse de Créon, est, dans le prologue comme à la fin de la pièce — les deux seuls endroits où elle paraisse —, une *vieille dame qui tricote* (p. 39, l. 53). Anouilh souligne sa passivité (et en même temps la solitude de son mari), et, par contraste, la grandeur de son calme suicide. Créon, pour qui elle reste, en plein drame, *une bonne femme parlant toujours de son jardin, de ses confitures, de ses tricots, de ses éternels tricots pour les pauvres* (p. 107, l. 74-76), aurait été incapable d'imaginer qu'elle pût avoir une réaction aussi brutale à l'annonce de la mort d'Hémon. Eurydice nous suggère ainsi le drame bourgeois — à peine esquissé — qui se joue entre deux vieux époux à jamais enfermés dans leur solitude réciproque. L'anachronisme du personnage contribue à permettre une telle interprétation.

La nourrice est, elle aussi, un personnage de drame bourgeois, ou même de comédie. Sans le moindre souci de couleur locale, Anouilh la représente comme une vieille servante un peu bourrue, mais pleine de cœur, moralisatrice, coléreuse et prompte aux larmes : un type traditionnel, sans la moindre recherche d'originalité, qui donne au début de la tragédie le ton bonhomme contrastant avec l'idée de grandeur tragique suggérée par le nom des personnages.

Les gardes ne sont pas plus conformes à l'idée que l'on peut se faire de la grandeur antique. Il est vrai que le garde de Sophocle était déjà un incorrigible bavard. Mais les soldats d'Anouilh, vulgaires, ivrognes, avides d'argent et d'avancement, respectueux des supérieurs et ignorant qu'ils ont une conscience, sont purement et simplement une caricature du policier moderne, et plus généralement de l'homme du peuple le moins dégrossi.

Ismène est un personnage à peine plus important que les précédents. Anouilh a fait d'elle une jeune écervelée sympathique et craintive, en laissant de côté les deux raisons que Sophocle mettait en avant pour justifier son attitude : la crainte d'une malédiction qui pèse sur la famille (Sophocle, v. 49-60) et le respect de la cité (Sophocle, v. 67-68 et 78-79). Il ne reste plus qu'une terreur physique de la douleur et un dégoût foncier de la multitude, qui se greffent sur le goût de la vie facile et la coquetterie d'une fille soucieuse de *ses bouclettes* et de *ses rubans* (p. 42, l. 54). Pourtant, attentive et inquiète, Ismène finit par accepter de suivre Antigone dans la mort. Mais ce n'est peut-être qu'une parodie de Sophocle, et une telle conversion prouve en tout cas bien plus son amour fraternel qu'il ne révèle un engagement profond.

Hémon apparaît, dans la tragédie moderne, comme une sorte de double masculin d'Antigone. Fasciné par la jeune fille, il semble qu'il découvre en elle un aspect de lui-même jusqu'alors ignoré. Antigone a pour lui le charme étrange et mystérieux d'une figure de l'au-delà. Curieusement étouffé par elle, il ne parvient même pas à prendre possession de lui-même en face de son père. D'un bout à l'autre de la pièce, il reste un enfant, idéaliste certes, mais surtout apeuré.

L'inconsistance de tous ces personnages sert à mieux mettre en valeur l'opposition essentielle entre Antigone et Créon.

Antigone est bien moins vraisemblable et elle porte bien plus l'empreinte de son auteur que son homonyme grec. Mais elle a aussi, contrairement aux apparences, une bien plus grande unité. Chez Sophocle, la piété pousse Antigone à un geste qui, elle le sait, doit la mener à la mort : elle agit donc malgré son désir de bonheur. Ce drame assure au mythe sa pérennité : tous ceux qui sont déchirés entre leur bonheur personnel et le dévouement à une cause qui les dépasse se retrouvent dans cette noble figure.

Chez Anouilh, au contraire, le personnage — malgré les scènes du début, avec la nourrice et Hémon, qui peuvent faire illusion — n'est pas profondément déchiré. Il est en effet dominé par une passion tellement exclusive, celle du bonheur, que rien ne peut la satisfaire, et surtout pas les joies suspectes, vacillantes et éphémères auxquelles les hommes — ô sacrilège — donnent ce nom.

L'autre visage de cette passion est ainsi la révolte contre toutes les constructions humaines. Adolescente intransigeante, Antigone n'accepte ni de se compromettre, ni de vieillir, ni surtout de voir vieillir les autres. *J'aime un Hémon dur et jeune*, avoue-t-elle à Créon (p. 94, l. 274), et elle préfère y renoncer à jamais plutôt que d'accepter la condition humaine, c'est-à-dire de vivre son amour dans le temps.

Il est donc bien certain que le refus de la vie par Antigone ne va pas contre son bonheur, mais qu'il est le couronnement de l'idée trop pure et trop parfaite qu'elle s'en fait.

Tout le reste, les faiblesses, les regrets ne sont que souvenirs de Sophocle ou réactions de la sensibilité du personnage. L'essentiel est cette construction arbitraire
et admirable par laquelle Anouilh a voulu nous repré-
senter la pureté de l'enfance dans tout ce qu'elle a de
brutal et d'invivable.

Créon, par contraste, est l'homme mûr, qui fut lui
aussi un jeune homme *maigre et pâle* et *qui ne pensait
qu'à tout donner* (p. 93, l. 239-240). Mais il a accepté de
jouer le jeu de la vie, et même il l'a accepté doublement,
puisqu'il s'est en quelque sorte chargé de l'existence des
autres en assumant la direction de l'État. Créon ne croit
ni aux dieux ni aux grands mots dont on se sert pour
faire marcher les hommes, mais il a une morale toute personnelle fondée sur l'honnêteté. Il accepte d'avoir « les
mains sales » en s'occupant de politique, parce que les
événements lui ont mis un jour le gouvernail dans les
mains. Depuis, il fait bien son métier, sans illusion sur les
autres ni sur lui-même, rêvant lui aussi d'un bonheur
auquel il n'a plus la possibilité de croire. Tel Sisyphe
reprenant son rocher, il ne se laissera aller ni aux larmes,
ni aux malédictions, et il repartira lourdement vers les
devoirs de sa charge en attendant la mort.
    L'honneur de l'homme est de vivre seul et sans espoir,
mais aussi de continuer sa tâche tout en la sachant
absurde.
    Il reste que cette attitude n'exclut pas la tendresse,
qui éclaire le dialogue entre Antigone et Créon. Paternel et calme, le roi ne se laisse aller à la colère que
lorsqu'il est poussé à bout par les insultes de sa nièce.
Dès lors, la tragédie peut s'achever.

APPROCHES CONTEMPORAINES

Les contemporains de la pièce ont d'abord été sensibles à
la **signification philosophique** d'un mythe revu et corrigé par
Anouilh. La signification moderne de l'œuvre a été mise en
valeur par comparaison avec la tragédie antique. Le refus de
la couleur locale, agressivement affirmé dans la mise en scène
(costumes modernes) ou dans le langage des gardes, est le
signe provocant des distances prises avec le mythe grec. « On
n'a jamais si bien trahi Sophocle », écrivait en 1944 un critique[1] qui partait de cette observation pour montrer le passage de la signification religieuse propre au tragique grec à

---

1. Jean Sauvenay, *Hier et demain*, n° 9, 1944.

un sens tout moderne : « le conflit entre deux lois humaines, deux conceptions de la vie, l'une qui est acceptation, démission, et l'autre refus (refus du bonheur, refus de l'impureté) ». Aliénation ou pureté, telle est l'alternative sur laquelle ont réfléchi maints critiques[1]. Le philosophe Gabriel Marcel, analysant l'effacement de la signification religieuse dans le geste d'Antigone, regrette ce qu'il considère comme « un pur non-sens »[2]. Comment accepter l'image d'une Antigone grattant la poussière pour en recouvrir le corps de son frère, si cette démarche n'est pas insérée dans un contexte religieux ? Gabriel Marcel ne peut expliquer le succès de la pièce que par la « déficience spirituelle » des spectateurs ainsi que par l'habileté technique de l'auteur, ce qui préfigure une lecture plus moderne des œuvres théâtrales, **la recherche des structures dramatiques**.

Certes, les procédés de Jean Anouilh apparaissent-ils comme évidents et facilement dépistés. Théâtre « pur », théâtre-jeu, l'œuvre d'Anouilh ne cherche pas à donner l'illusoire impression de la réalité. L'artifice y règne en maître et nous invite à décomposer ses éléments. On s'aperçoit alors que les personnages stéréotypés, le langage brillant, les situations toutes faites ne peuvent être dissociés de l'émotion et du sens. Anouilh dramaturge associe les contraires, découvrant « de nouveaux registres dramatiques grâce au jeu combiné d'ambiances opposées »[3].

L'influence de **Pirandello** et celle de la **Commedia dell'arte** ont été étudiées dans cet esprit; on a voulu retrouver la légèreté et l'humour mordant du premier dans les accents d'Anouilh, et l'on a surtout très justement constaté l'utilisation d'une technique propre à la *Commedia dell'arte*, le recours à des types constants, au moins dans les pièces noires, roses et brillantes. La convention joue donc un rôle capital dans ce théâtre, mais selon Pol Vandromme, elle sert à l'auteur « à pressentir le grouillement qu'elle dissimule »[4]. « D'un pantin asservi à des ruses d'automate, il suscite un homme démuni, en proie à l'incohérence de ses sursauts, à cette agitation sans suite à l'abri de laquelle l'humanité se recroqueville dans les égarements de sa misère. » Dans la perspective moderne d'une analyse structurale, il est évidemment tentant de construire une typologie de ce théâtre et de poursuivre l'étude par une analyse des formes de langage et des

1. Par exemple Maurice Boudot dans un article des *Cahiers du Sud* en juin 1954. — 2. « Le tragique chez J. Anouilh de *Jézabel à Médée* », dans la *Revue de Paris*, juin 1949. — 3. Edward O. Marsh, *Jean Anouilh, Bet of Pierrot and Pantaloon*, London, W. H. Allen, 1953, cité par B. Beugnot. — 4. *Un auteur et ses personnages*, Paris, La Table Ronde, 1965.

procédés dramatiques. Dans ce « théâtre de marionnettes »[1], les personnages sont enfermés dans un comportement défini *à priori* (et qui est pour *Antigone* une forme désacralisée du destin antique) : « Que le personnage représenté soit Thérèse, Antigone, Jeanne ou Jeannette, par-delà son identité sociale et historique, c'est la jeune fille dans le monde moderne qui est en cause »[2].

Ainsi les analyses les plus récentes font-elles remarquer l'habileté d'un théâtre qui se renouvelle en maniant des situations et des personnages stéréotypés. Le débat est ouvert : l'affrontement d'Antigone et de Créon, privé de son arrière-plan mystique, garde-t-il encore un intérêt ou n'est-il qu'un prétexte pour faire miroiter aux yeux des spectateurs éblouis la virtuosité d'un bateleur de génie?

NOTES SUR LA LANGUE D'ANOUILH

Les expressions familières. Une des plus fréquentes est l'emploi du pronom expressif d'intérêt atténué. Le pronom personnel de la première ou de la deuxième personne exprime l'intérêt pris à l'action par la personne qui parle, ou sollicite l'attention de celui à qui l'on s'adresse. Cette tournure populaire est attestée dans les meilleurs textes français. Anouilh l'utilise plusieurs fois dans *Antigone* :

Ils vous *empoigneront les accusés* (p. 39, l. 69) ; *Vous allez encore* me *prendre mal* (p. 45, l. 102) ; Te *voilà un bon café* (p. 52, l. 55).

D'autres expressions familières mettent en valeur la vulgarité d'un personnage (les gardes) ou, plus souvent, suggèrent la présence d'une vie quotidienne toute simple, sur laquelle va brutalement jaillir la tragédie :

Je me lève = je sors du lit (p. 40, l. 7) ; *Mauvaise* = mauvaise fille (p. 41, l. 39) ; *Être sans rien* = n'avoir pris aucune nourriture (p. 45, l. 107) ; *T'attifer* = te parer (p. 42, l. 48) ; *Toi, c'est ce qui te passe par la tête* = tu ne réfléchis pas (p. 47, l. 32) ; *Fais-moi... bien chaud* = tiens-moi bien chaud (au moral comme au physique) (p. 53, l. 63) ; *Dans moi* = en moi (p. 55, l. 24) ; *Ce bon chaud* = cette bonne chaleur (p. 57, l. 57) ; *Bâclant ce mort* = se débarrassant au plus vite de la cérémonie funèbre (p. 76, l. 75) ; *C'est pas leurs oignons* = cela ne les concerne pas (p. 110, l. 129).

---

1. Thérèse Malachy, *op. cit.* — 2. *Ibid.*, p. 150.

Ajoutons à ces expressions familières un terme technique de marine : le verbe *redresse* (p. 84, l. 74) ; et une expression où le langage populaire atteint à la plus haute poésie : *pour vivre encore un peu de la nuit* (p. 50, l. 6). (Remplacer le verbe *vivre* par *jouir* ou *profiter* fausserait gravement le sens du texte.)

Les anachronismes. Anouilh situe délibérément l'action dans une Grèce qui ressemble souvent étrangement à Paris et à sa banlieue : *un soir de bal* (p. 35, l. 23) ; la *fleur de cotillon* (p. 88, l. 156) donnée à Antigone par Polynice (les accessoires de cotillon sont les objets en papier - chapeaux, serpentins, etc. - utilisés au cours d'un bal pour se déguiser et s'amuser).

L'allusion au *parti* (p. 64, l. 98) se réfère à un contexte révolutionnaire moderne.

Les noms des gardes *(Jonas, Durand* et *Boudousse)* **nous entraînent dans un monde fantaisiste où le quotidien côtoie l'allusion savante et le bouffon. Le nom de** *Boudousse,* en particulier, ressortit au domaine du comique troupier (cf. Bidasse). La vie du soldat moderne est aussi évoquée à travers les détails hiérarchiques : *le garde de première classe* (p. 61, l. 32) ; les différences entre le garde et le simple soldat (image de la distinction entre le gendarme, soldat de métier dans une arme d'élite et assimilé au sous-officier, et les militaires des autres armes) ; l'allusion aux *citations* (p. 62, l. 43) qui distinguent le combattant ayant accompli une action d'éclat et qui s'accompagnent d'une décoration (croix de guerre ou de la valeur militaire). Tout cela engendre un comique léger, qui balance le tragique.

JUGEMENTS SUR « ANTIGONE »

JUGEMENTS CRITIQUES

Voici d'abord un jugement sévère et partisan de ROLAND
PURNAL dans *Comœdia*, le 19 février 1944 :

> Je vais sans doute irriter quelques snobs, mais je le dis
> comme je le pense : l'ouvrage que M. Jean Anouilh vient
> de nous donner à l'Atelier m'a paru tout à fait
> insupportable.
> [...] Je l'accuse d'altérer le sens du drame qu'il soulève,
> de fausser le jeu des passions de la chose thébaine, de
> rabaisser ouvertement tout ce qui est grand par nature.
> Ici un couplet chasse l'autre. Après celui par exemple où
> l'on exalte les instincts de révolte de la populace, il y a
> celui qui met en lumière la charge de chef d'État. Bien
> entendu, l'on aura soin de faire valoir que la pratique de
> ladite charge conduit nécessairement aux besognes les
> plus basses, etc. Me faut-il souligner enfin que l'ouvrage
> de M. Jean Anouilh n'a aucun accent personnel ? On n'en
> finirait pas de dénoncer les influences qui s'y font jour.
> On tombe de Bataille en Cocteau, de Giraudoux en
> Pirandello. [...] Il ne reste [...] que la sentimentalité qu'il
> cultive dans tous ses drames. [...] La prestance, le talent
> et la très mâle autorité de Jean Davy étaient dignes
> d'une meilleure cause.

JEAN DIDIER (*A la rencontre de Jean Anouilh*, la Sixaine, Liège,
1946) s'en prend aux anachronismes :

> Les procédés dont use Jean Anouilh — cet artifice du
> vêtement et du langage, ainsi que l'anachronisme perma-
> nent dont sa tragédie moderne est entachée — n'ajoutent
> rien au pathétique de l'histoire d'Antigone. D'ailleurs,
> tout cela a fait son temps, et il y a belle lurette que les
> snobs ne s'amusent plus de voir représenter Shakespeare
> en smoking. Si encore l'adaptation de la tragédie de
> Sophocle aux mœurs et coutumes de notre temps était
> complète, nous pourrions l'accepter. Mais qu'est-ce que ce
> roi Créon, en habit noir et cravate blanche, qui condamne
> à mort une Antigone en robe du soir, parce qu'elle a

recouvert, à l'aide d'une petite pelle, le cadavre de son frère, un affreux fêtard qui passait le meilleur de ses nuits dans des lieux de plaisir ?

Je m'en voudrais de chicaner plus longtemps l'auteur à propos de ces vétilles — ficelles un peu grosses dont il usa, je crois, afin d'attirer les gogos — parce que l'intérêt de sa pièce est ailleurs.

Mme S. Fraisse regrette la *désacralisation* de l'œuvre :

> Cette désacralisation de la pièce ôte à Antigone sa stature, sa vraie grandeur. L'héroïne de Sophocle avait derrière elle les dieux et les morts, elle se dressait sûre de son droit, des valeurs qu'elle incarnait. Celle d'Anouilh ne représente rien qu'elle-même, une adolescente pure et exigeante, avide d'absolu, mais d'un absolu sans contenu, qui ne sait que dire non. Elle prend place dans la galerie des jeunes filles, telles qu'Anouilh s'est plu à les peindre, qui refusent la vie et le bonheur quand ils ne répondent pas à leur rêve d'enfant. L'auteur a même ici forcé la note : était-il nécessaire, pour grandir le courage de l'héroïne, de tant insister sur la petite fille qu'elle était encore, une petite fille sentimentale et gâtée, avec sa nounou, son chien préféré, sa pelle d'enfant et son refus d'entendre parler raison ? Il faut décidément que le mythe soit bien fort pour que le public de 1944 ait passé par-dessus ces enfantillages et reconnu, dans une Antigone ainsi défigurée, la première résistante de l'histoire. (*Bulletin de l'Association Guillaume Budé*, juin 1966, p. 277-278.)

JUGEMENTS SUR LE PERSONNAGE D'ANTIGONE

Robert de Luppé, *Jean Anouilh*, Classiques du XXe siècle, Éditions Universitaires, Paris, 1959, p. 63-64 :

> Elle est la jeune fille aux traits ambigus, entre la petite fille et la femme, ayant derrière elle toute son enfance, debout au seuil même de la maternité, et pourtant tournée vers le plus lointain de son enfance, avec son langage, ses gestes et son décor. L'adolescence d'Antigone n'est pas l'épanouissement d'une étape, mais le lieu où se confrontent directement les deux ordres de l'enfance et du monde adulte, le lieu du dernier choix.

CLÉMENT BORGAL, *Anouilh, la peine de vivre*, Éditions du Centurion, Paris, 1966, p. 69 :

> Pourquoi cette insistance à souligner son âge ? Parce qu'il [le personnage] représente une sorte de foi, sans doute, comme pour Juliette, Isabelle ou Amanda ; mais surtout parce qu'il est l'exigence instinctive, passionnée, intransigeante, têtue, et qu'il n'a pas encore appris à étancher son immense soif avec des mots et des raisonnements. Si jeunesse savait. [...] Précisément, Antigone ne veut pas savoir. L'expérience de l'éducation qu'on a essayé de lui inculquer lui a suffisamment fait pressentir que la connaissance du monde et de la vie n'est pas belle.

POL VANDROMME, *Jean Anouilh, un auteur et ses personnages*, Paris, la Table ronde, 1965, p. 99 :

> L'Antigone d'Anouilh, si elle avait eu la tête philosophique, aurait pu embarrasser Créon : Maurras lui fournissait des arguments sans riposte. Mais elle se moque des idées, de la controverse sur l'immense problème de l'ordre. Elle se contente de proclamer : c'était mon frère.
> C'était mon frère, et puis c'est tout. Il n'y a pas de loi qui puisse prévaloir contre la fraternité. Le problème d'Antigone n'est pas de savoir si la loi est juste ou injuste. Même si elle était juste, elle la transgresserait encore. Parce que la loi des adultes n'est pas la sienne. Parce qu'elle est une petite fille malgré ses vingt ans. Parce que dès lors elle n'est pas du monde des grands.

JUGEMENTS SUR CRÉON

PIERRE-HENRI SIMON, *Théâtre et Destin*, Paris, Armand Colin, 1959, p. 158 et 159 :

> Créon, c'est donc quelqu'un qui fait son métier de roi, il dit plus volontiers sa « besogne », sans enthousiasme et par obéissance à un devoir purement pragmatique. Il sert l'État mais en dépouillant sa fonction de toute espèce de sublime et l'État de tout caractère sacré. C'est un dilettante et un sceptique, en ce sens l'antithèse d'Œdipe [...]. Parce qu'il a dit une fois *oui*, Créon, comme les salauds de Sartre, échappe à l'usage de cette liberté suprême qui est de dire non — non à la loi, non aux préjugés, non à la morale, non à Dieu —, la perfection de la liberté éclatant dans la négativité.

CLÉMENT BORGAL, *op. cit.*, p. 75-76 :

Le prétendu désir de pureté qui anime Antigone est fondamentalement égoïste. Créon, au contraire, accepte de s'abaisser, d'encourir le blâme, de s'exposer à ses ennemis, non pas pour réaliser un idéal — car il sait bien que tout idéal est illusoire — mais simplement pour éviter à ses semblables, ses frères, de trop grands malheurs. Tout être vivant est solidaire des autres représentants de l'espèce à laquelle il appartient. Il s'agit là d'une loi de nature. Qui cherche à s'y soustraire se révèle indigne non seulement de sa race, mais de celle même des animaux et des plantes. Il nous est arrivé à plusieurs reprises d'évoquer la morale du « bon sauvage ». Ici encore, nous ne sommes pas très loin d'une philosophie naturelle, aussi étrangère que possible à toute métaphysique.

JUGEMENTS SUR LA SIGNIFICATION DE LA PIÈCE

CLÉMENT BORGAL, *op. cit.*, p. 76 :

La puissance dramatique de l'œuvre tient essentiellement au fait qu'entre adeptes de deux conceptions aussi antinomiques ne peut s'établir qu'un dialogue de sourds. Conflit de deux générations, si l'on veut : Créon avoue retrouver dans sa nièce le petit jeune homme qu'il a été jadis. Mais conflit surtout de deux façons d'envisager la vie, dont chacune est inattaquable dans sa propre perspective.

POL VANDROMME, *op. cit.*, p. 109 :

Anouilh dialogue avec lui-même. Il a trente-deux ans, il se souvient de sa vingtième année, et il se dit qu'il serait temps de mettre en présence l'homme qu'il est avec le jeune homme qu'il a été. *Antigone*, c'est cette mise au point là — non de Sophocle par rapport à nous, mais du Anouilh de 1942 par rapport au Anouilh de 1932. *Antigone*, c'est *la Sauvage* dix ans après.

S'il n'y avait qu'un grand rôle dans *la Sauvage*, s'il y en a deux dans *Antigone*, c'est pour la raison que l'Anouilh de 1932 se confondait avec le sectarisme de Thérèse et que l'Anouilh de 1942 est un homme divisé. Thérèse était invulnérable ; Antigone ne l'est plus. L'âge n'apporte pas du discernement aux sots (les têtes légères le sont pour jamais) ; il apporte aux sensibilités riches le discernement de leur richesse.

PIERRE-HENRI SIMON, *op. cit.*, p. 161 :

Voilà bien le sens du conflit de Créon et d'Antigone chez Anouilh : non plus du tout, comme chez Sophocle, l'opposition entre deux idées de la justice, mais entre deux conceptions de la vie. Créon est quelqu'un qui a cru d'abord à une vie de plénitude, mais, l'ayant jugée impossible, s'est résigné à un sage bonheur de tous les jours, soutenu par un devoir positif. Antigone croit encore à cette vie intense et pure où un être, toutes chaînes rejetées, s'accomplit absolument. Si cette perfection n'est pas possible, elle préfère le désespoir et la mort à une transaction sans grandeur et à une dégradation inévitable. Elle est celle qui dit *non* au bonheur commun, comme elle a dit *non* à la loi sociale.

CLÉMENT BORGAL, *op. cit.*, p. 82-83 :

Sans la moindre contestation possible, le dernier mot demeure à Créon. Supporte et abstiens-toi : c'est encore ta plus grande chance de n'être pas trop malheureux. On a reconnu, bien sûr, la devise du stoïcisme [...]. La révolte d'Antigone, sombrement inutile, a quelque chose de romantique dans sa turbulence. Le comportement de Créon la condamne, qui n'est pas loin de ressembler beaucoup à celui du Loup d'Afred de Vigny. Je sais qu'on n'a pas beaucoup l'habitude de rapprocher ces deux écrivains. Outre pourtant qu'un poème des *Destinées* porte déjà le titre de *la Sauvage*, et qu'Anouilh a écrit pour Henri Dutilleux un ballet intitulé *le Loup*, je ne vois pas qu'il soit nécessaire, pour les mettre dans la bouche de Créon, de changer un seul mot aux vers célèbres :

Gémir, pleurer, prier, est également lâche...

PIERRE-HENRI SIMON, *op. cit.*, p. 164 :

La morale d'Anouilh, on pourrait parfois la regarder comme un jansénisme sans Dieu et sans Christ. Jansénisme, car nulle part la profondeur d'une corruption de la nature et d'une culpabilité inéluctable n'est évoquée avec plus de force : on ne se débarrasse pas de son passé, on ne se lave pas de ses souillures ; et seuls sont prédestinés quelques élus ; mais ni Dieu vers qui élever une prière, ni Christ pour intercéder [...]. Ce serait inexact et malhonnête de vouloir christianiser un théâtre né dans l'ère de la

mort de Dieu et dans le climat de l'existentialisme athée.
Et pourtant, il est permis de dire qu'il ne peut pas laisser
le chrétien indifférent : sa noblesse est d'être un cri de
l'homme perdu au fond des abîmes, *de profundis clamavi* ;
sa cruauté est de jaillir d'une nuit où n'a jamais lui
l'étoile des Mages, où aucun chœur céleste n'a promis la
paix aux hommes de bonne volonté.

SUJETS DE RÉFLEXION

① On a dit de Créon qu'il proposait l'acceptation sous « l'aspect le plus intelligent et le moins impossible », mais qu'il n'arrivait pas à persuader. Qu'en pensez-vous ?

② « On a voulu le [Anouilh] rattacher à Giraudoux parce qu'il s'est inspiré des tragiques grecs, à Sartre. Et il a bien fait de protester. Il est original. Il tire ses personnages et leurs malheurs de sa pensée à lui, de ses expériences ou de ses cauchemars ; non d'une esthétique, d'un dilettantisme, ni d'une philosophie. Il n'en est que plus pathétique. »
Vous commenterez ce jugement de Robert Kemp (*Le Monde*, 16 janvier 1947).

③ L'originalité d'Anouilh dans *Antigone*.

④ Commentez ce mot de Pierre-Henri Simon en l'appliquant à *Antigone* : la noblesse d'Anouilh est « d'être un cri de l'homme perdu au fond des abîmes, *de profundis clamavi* ; sa cruauté est de jaillir d'une nuit [...] où aucun chœur céleste n'a promis la paix aux hommes de bonne volonté ».

⑤ Comparez le personnage d'Égisthe dans l'*Électre* de Giraudoux et celui de Créon dans l'*Antigone* d'Anouilh.

⑥ La nostalgie de l'enfance dans l'œuvre d'Anouilh.

⑦ Qu'est-ce que la pureté pour Antigone ?

⑧ Le bonheur et la paix dans *Antigone*.

⑨ Commentez ce jugement de Pol Vandromme :
« L'Antigone d'Anouilh a une sensibilité d'anarchiste. Mais l'intelligence anarchiste de la pièce, c'est Créon. »

TABLE DES MATIÈRES

ILLUSTRATIONS

Imprimerie Berger-Levrault, Nancy – 778794-11-1984.
Dépôt légal : novembre 1984 – Dépôt 1re édition : 1968.
Imprimé en France.